| 개정판 |

제도와 조직의 경제사

| 개정판 |

제도와 조직의 경제사

최신이론, 새로운 개념

오카자키 데쓰지 지음 — 이창민 옮김

한울
아카데미

옮긴이 서문 · 11
지은이 서문 · 16

제1장_ 경제사를 연구하는 의미   18

1. 들어가기에 앞서 · 21

2. 역사적 교훈 · 22
   1) 역사를 통해 배운다는 것은 가능할까? · 22
   2) 「동아시아의 기적」과 그 재고(再考) · 24

3. 현재의 상대화 · 26
   1) '상식'에서의 탈피 · 26
   2) '종신고용'과 일본문화 · 28

4. 실험실로서의 역사 · 29
   1) 프리드먼·슈바르츠의 화폐사 연구 · 29
   2) 공황의 이론과 역사 · 33
   3) 비교우위 원리의 자연실험 · 37

5. 역사적 경로의존성 • 40
    1) '역사를 위한 변명' • 40
    2) 역사와 QWERTY • 42
    3) 보완성과 네트워크 외부성 • 44

■ 이해와 사고를 돕기 위한 문제 • 49

제2장_ 경제성장   50

1. 경제성장과 그 예측 • 53
    1) 사이먼 쿠즈네츠와 GNP의 장기추계 • 53
    2) 지역 간 소득격차의 장기동향 • 55

2. 신고전파의 성장이론 • 57
    1) 로버트 솔로의 성장모형 • 57
    2) 솔로의 기본방정식 • 59
    3) 안정 상태(steady-state) • 61
    4) 기술진보의 도입 • 62

3. 이론과 현실 • 65
    1) 인적자본의 도입 • 65
    2) 실증분석과 남겨진 과제 • 68

■ 이해와 사고를 돕기 위한 문제 • 71

제3장_ 경제의 역사적 발전에 관한 다양한 시각   72

1. 경제발전단계론 • 75
    1) '생산양식'의 발전단계 • 75
    2) '자본의 본원적 축적' • 77
    3) 마르크스 이론의 한계 • 78

2. 종교와 경제발전 • 79

  1) 막스 베버의 종교사회학 · 79
  2) 프로테스탄티즘 윤리와 자본주의 정신 · 80
  3) 베버 가설의 검증 · 82

3. 경제적 후진성 가설 · 88
  1) 후진국과 선진국의 차이 · 88
  2) 후진국의 경제발전과 제도·조직 · 89

▮ 이해와 사고를 돕기 위한 문제 · 91

제4장_ 제도와 경제발전   92

1. 더글러스 노스의 문제제기 · 95
  1) 『서구세계의 성장』 · 95

2. 영국 명예혁명의 경제적 의미 · 97
  1) 소유권 보호의 두 가지 의미 · 97
  2) 영국 명예혁명에 관한 실증분석 · 98

3. 제도와 경제발전 · 101

4. 비교역사제도분석 · 104

▮ 이해와 사고를 돕기 위한 문제 · 107

제5장_ 시장경제의 발전   108

1. 시장경제의 역사 · 111
  1) 시장경제의 기원 · 111
  2) '로마의 평화'와 시장경제 · 112
  3) 중세 유럽사회 · 113
  4) '상업의 부활' · 114
  5) 고대·중세 일본의 상업 · 117
  6) 막번체제와 시장경제 · 119

7) 근세 일본의 경제성장 • 123

2. 중세 지중해 상업의 비교역사제도분석 • 125
1) 애브너 그라이프의 문제제기 • 125
2) 마그리비 상인의 '다각적 징벌전략' • 126
3) 게임의 균형으로서의 제도 • 128

3. 근세 일본에서 가부나카마의 기능 • 131
1) 사법제도 • 131
2) '상대제령'의 경제적 의미 • 133
3) 가부나카마의 조직과 기능 • 134
4) 자연실험으로서의 덴포 개혁 • 137

▌이해와 사고를 돕기 위한 문제 • 141

제6장_ 생산조직 I: 공장과 기업   142

1. '산업혁명' • 145
1) 공장제의 성립 • 145
2) 시스템적인 변화 • 147
3) 산업혁명관의 수정 • 150
4) '대분기'와 산업혁명의 재평가 • 152

2. '보스(boss)들은 무엇을 하는 걸까?' • 155
1) 스티븐 마그린의 문제제기 • 155
2) 위계제적 구조의 역사적 기원 • 156
3) '보스들은 정말로 무엇을 하는 걸까?' • 158

3. '보이는 손'의 혁명 • 161
1) 철도와 미국경제 • 161
2) 기업조직의 혁신 • 162
3) 대량생산과 대량유통의 통합 • 163
4) 경영자의 역할 • 165

4. 생산유통조직의 선택 • 167

　　　1) 거래비용의 경제학 • 167

　　　2) 거래의 통치구조 선택과 기업조직 • 169

　█ 이해와 사고를 돕기 위한 문제 • 173

제7장_ 생산조직 II: 노예제·지주제·선대제　　　174

1. 노예제 • 177

　　　1) 노예제란 무엇인가? • 177

　　　2) 면화 재배와 미국 남부의 노예제 • 178

　　　3) 노예노동의 생산성 • 180

　　　4) 노예제의 인센티브 구조 • 184

2. 지주제 • 186

　　　1) 지주제의 인센티브 구조 • 186

　　　2) 14세기 북부 이탈리아의 소작계약 선택 • 190

3. 선대제 • 194

　　　1) 선대제의 구조 • 194

　　　2) 선대제의 적응 • 196

　█ 이해와 사고를 돕기 위한 문제 • 199

제8장_ 금융거래와 제도　　　200

1. 금융 시스템의 역사 • 203

　　　1) 초기의 금융 시스템 • 203

　　　2) '시장형 시스템'과 '은행형 시스템'의 분화 • 205

2. 금융 시스템과 경제발전 • 208

　　　1) 은행과 경제발전 • 208

　　　2) 주식시장과 경제발전 • 210

3. '관계융자'의 빛과 그림자 • 213

　　1) 금융거래의 거버넌스 • 213

　　2) 19세기 뉴잉글랜드의 금융 시스템 • 215

　　3) 관계융자의 건전성의 조건 • 218

　　4) 관계융자와 금융 위기 • 219

　　5) 전전(戰前) 일본의 '기관은행' • 221

4. 자본시장의 발달과 자본거래의 거버넌스 • 226

　　1) 주식시장의 효율성과 공적규제 • 226

　　2) 'J. P. 모건은 기업가치를 향상시켰을까?' • 229

　　3) J. P. 모건의 기능에 관한 실증분석 • 231

▌이해와 사고를 돕기 위한 문제 • 235

주 • 237

찾아보기 • 245

● 옮긴이 서문

일본에서는 2005년에 본서의 초판이 발행되었고, 그로부터 3년 뒤인 2008년에 한국어 번역본이 출간되었다. 그동안 많은 대학에서 본서를 수업교재로 채택하였고, 또 일반 독자로부터도 많은 사랑을 받았다. '제도와 조직의 경제사'라는 타이틀로 국내독자들에게 본서가 소개된 이후 10년 가까이 세월이 흐르면서 관련 분야의 연구는 많은 진전이 있었다. 본서의 개정증보판 출간은 그간의 연구실적을 독자들에게 소개하기 위함이다.

이 책은 미국과 일본을 비롯한 전 세계에서 행해지는 경제사 연구의 큰 흐름을 설명하기 위해 학술적으로 중요한 논문들을 소개하는 방식을 취하고 있다. 이러한 시도는 기존의 경제사 교재들과 비교했을 때 무척이나 참신한 것이며 개인적으로는 두 가지 점에서 이 책의 한국어판을 평가하고 싶다.

우선, 이 책은 경제사 공부의 길라잡이 기능을 한다. 학술서적을 읽을 때는 전반적인 연구동향이나 흐름을 대강이라도 알고 있는 편이 읽기에 수월하고 재미도 있다. 그러나 우리는 대부분 시행착오를 겪으면서 몇 권의 책을 읽고 난 다음에야 비로소 나무를 포함한 숲까지도 조망할 수 있는 시야를 가지게 된다. 그럴 때마다 전체적인 흐름을 대강이라도 짚어줄 수 있는 책이 있었으면 하고 바랄 때가 많다. 그런 점에서 이 책은 학부생을 대상으로 하면서도, 관심이 있는 사람이라면 누구나 경제사 연구의 전반적인 동향을 파악할 수 있도록 쉽게, 그러면서도 빠짐없이 설명하는 책이다.

두 번째는 언어의 문제이다. 모국어로 된 책과 외국어로 된 책은 이해 정도에서 확실히 차이가 난다. 경제학의 경우 미시·거시·계량경제학과 같은 주요 과목들은 대부분 한국어로 쓰인 교재가 잘 구비되어 있는 편이다. 그러나 경제사를 비롯한 다른 많은 과목들은 여전히 외국어로 된 교재를 읽어야 하는 불편함이 적지 않다. 물론 글쓴이의 의도를 정확히 파악하기 위해서는 가능한 한 원서를 보는 것이 바람직하지만, 적어도 기초적 소양을 쌓아야 하는 학부 수준에서는 모국어로 된 교재 내지 번역된 교재가 절대적으로 필요하다. 그런 점에서 이 책은 한국어로 된 교재가 부족한 경제사 분야에서 중요한 교재로 자리매김할 수 있을 만한 책이다.

앞서 밝힌 대로 이 책은 전 세계의 경제사 연구동향을 조망하고 있다. 그런 측면에서 아래에서 소개하는 경제사 연구의 큰 흐름을 미리 알고 이 책을 읽는다면 책읽기가 한결 수월해질 것이다.

1960년대 초에 **로버트 포겔**(Fogel, R.)이 제창한 **계량경제사**는 현재 미국 경제사 연구의 주류가 되었고, 이제는 계량경제사라는 명칭이 더 이상 사용되지 않을 정도로 경제사는 곧 계량경제사를 뜻하는 말이기도 하다. 계량경제사의 세 가지 특징을 꼽아보면 다음과 같다. 첫째, 경제사에 경험과학의 방법을 적용해서 종래의 정설들을 뒤집고 있다. 둘째, 전통적인 신고전파의 이론 중에서 특히 미시이론을 유력한 도구로서 활용한다. 셋째, 수량 데이터를 이용해서 실증연구를 실시하고 있다.

두 번째로 경제사 연구의 정통적인 분석틀로서 **카를 마르크스**(Marx, K.; 1818~1883)의 **경제발전단계론**이 있다. 미국에서는 이미 신고전파의 분석방법이 주류가 되었지만 일본에서는 오늘날까지도 마르크스 경제학이 뿌리 깊게 영향을 미치고 있다. 일본뿐만 아니라 한국에서도 상당히 오랫동안 마르크스의 이론이 경제사 연구의 한 축을 담당해왔지만 최근에는 소수의 학자들만이 명맥을 유지하고 있다. 마르크스 경제학을 바탕으로 한 경제사 연구의 특징은 다음의 세 가지 정도를 들 수 있다. 첫째, 마르크스 경제사는 곧 시장경제사이다. 둘째, 소득분배의 문제에 관심을 갖는다. 셋째, 소득분배와의 관련 속에서 시장경제의 형성원인을 밝히고 있다.

경제사 연구의 세 번째 흐름으로는 1970년대에 신고전파 경제이론에 대해 근본적인 문제점을 제기한 **더글러스 노스**(North, D.)의 **신제도학파 경제학**이 있다. "기술혁신, 규모의 경제성, 교육, 자본축적 등과 같은 이 모든 것은 성장의 원인이 아니라 성장 바로 그 자체이다"라는 유명한 문구 속에서 알 수 있듯이 노스는 경제성장의 원인을 제도와 조직에서 찾으려 했다. 소유권 제도에 초점을 맞춘 그의 연구는, 훗날 계량경제사의 창시자인 로버트 포겔의 연구과 함께 노벨 경제학상(1993년)을 수상하게 해준 중요한 업적이 되었다. 이후 노스의 연구는 거래비용의 경제학의 개념을 접목시킨 연구로 발전되어 '제도와 조직의 경제사'라는 커다란 연구영역을 탄생시켰다. 제목에서 알 수 있듯이 이 책도 신제도학파 경제학의 시각을 반영하고 있다고 볼 수 있다.

끝으로 스탠퍼드 대학의 **애브너 그라이프**(Greif, Avner)가 제창한 **비교역사제도분석**이 있다. 더글러스 노스는 제도가 경제성장의 원인이라고 주장했지만, 그가 예로 들고 있는 소유권 제도는 강력한 국가권력하에서만 유지될 수 있는 것이다. 그렇다면 국가권력이 존재하지 않거나 약한 경우에는 어떻게 제도가 생겨나고 유지되었던 것일까? 이러한 질문에 대해 역사비교제도분석은 '제도란 게임의 균형상태이며, 게임의 균형은 자기구속적(selfenforcing)인 힘을 가지고 있다'라고 설명한다. 이 책의 저자인 오카자키 데쓰지는 애브너 그라이프와 함께 역사비교제도분석의 대표적인 연구자이다. 제5장에서 보게 될 그라이프의 마그리비의 상인에 대한 연구와 오카자키 데쓰지의 가부나카마에 대한 연구가 바로 그 대표작이다.

지금까지 전 세계적으로 진행되고 있는 경제사 연구의 큰 흐름들을 아주 간략하게 살펴보았다. 독자들은 이 책을 읽어나가면서 이러한 흐름을 충분히 확인할 수 있으리라 생각한다. 교양서로서 이 책을 선택한 독자들은 현실의 경제이론이 역사적 사실들을 어떻게 설명하고 있는지를 주목해가며 읽는 것이 많은 도움이 될 것이다. 이 책은 누구나 알고 있는 역사적 사실에 대해 소박한 경제학적 질문을 던진다. 예컨대, 일본의 종신고용 제도는 국민성과 관계가 있을까, 크리스트교 국가들은 타 종교 국가들보다 소득수준이 높을까, 노예제는 과연 효율적인 제도였을까 등과 같은 질문이다. 해답은 독자들이 이 책을 읽어나가며 직접 발견할 수 있을 것이다.

대학원에 진학하려고 하거나 더 깊이 있는 공부를 하려는 학생들은 각 장별로 맨 뒤에 나와 있는 '이해와 사고를 돕기 위한 문제'까지 풀어보기 바란다. 이 책은 이미 일본어판과 중국어판이 출간되어 있는데, 이와는 별도로 뒤에 나와 있는 문제들은 한국 독자들에게 적합한 문제들로 엄선했다.

끝으로 원고를 검토해준 한국외국어대학교 국제지역대학원 일본학과 이상하 학생에게 이 자리를 빌려 감사하다는 말을 전하고 싶다. 또한 이 책의 출판을 흔쾌히 결정해준 도서출판 한울의 윤순현 차장님을 비롯한 관계자 여러 분께도 거듭 감사드린다.

2017년 1월
이창민

● 지은이 서문

    본서의 초판이 발행되고 10년 이상의 세월이 흘렀다. 초판의 서문에서
밝힌 바와 같이 본서는 제도와 조직의 역할에 초점을 맞추어 경제사 연구
의 주요한 내용을 소개하고, 더 나아가 제도와 조직이 경제발전 내지는
경제성장과 어떠한 관련이 있는지에 대해서도 설명했다. 다행스럽게도
이러한 새로운 시도는 독자로부터 많은 사랑을 받았고, 그 결과 일본에서
는 초판이 11쇄까지 발행되고, 한국과 중국에도 번역되어 동아시아의
많은 독자에게 소개될 수 있었다.

    개정판에는 종교와 경제발전, 제도와 경제발전에 관한 최근 연구를
반영하여 한 장을 더 추가했으며, 대분기(Great Divergence)와 산업혁명에
관한 최근 연구도 추가하였다. 개정판의 번역은 초판과 마찬가지로 한국
외국어대학교 이창민 교수가 수고해주었다. 내 제자이기에 앞서 훌륭한
동료이기도 한 이창민 교수는 촉망받는 젊은 연구자이다. 그가 국내외
저널에 발표한 여러 논문들과 2015년에 도쿄대학교 출판사에서 발간한
저서는 학계에서도 높은 평가를 받고 있다. 본서는 물론이고 내 연구를

가장 잘 이해하고 있는 이 교수가 개정판의 번역을 맡아주어 무척 고맙게
생각하고 있다. 개정판도 초판과 마찬가지로 한국의 독자에게 많은 사랑
을 받을 수 있기를 기대한다.

2017년 1월

오카자키 데쓰지

경제사 또는 좀 더 일반적으로 역사를 연구하는 의미는 어디에 있는 것일까? 제1장에서는 이러한 문제에 대해 생각해보고자 한다. 현재와 미래에 대한 교훈을 얻는 것도 역사 연구가 해야 할 일이다. 그러나 역사 연구의 의미가 단지 그것에만 있는 것은 아니다.

역사는 현재 당연한 것으로 받아들여지고 있는 상식을 상대화해서 바라볼 수 있게 하고, 여러 가지 이론을 검증할 수 있는 실험실을 제공해준다. 실제로 경제이론은 경제사 연구와의 상호작용을 통해 발전해왔다. 더군다나 여러 사회구조나 사람들의 행동 사이에 보완성 및 네트워크 외부성이라는 성질이 존재한다고 했을 때, 역사를 살펴봄으로써 비로소 우리는 현재의 상태를 제대로 이해할 수 있게 된다.

제1장

경제사를
연구하는 의미

키워드

자연실험, 금융공황, 비교우위원리, 경로의존성,
보완성, 네트워크 외부성

1. 들어가기에 앞서

이 책을 읽고 있는 독자들 중에서는 '경제사'라는 단어를 처음 접한 사람도 적지 않을 것이라 생각한다. 경제사는, 말 그대로 경제의 역사, 즉 과거에 일어났던 여러 가지 경제현상에 관한 기술 또는 과거의 경제현상 그 자체를 말한다. 오늘날의 경제는 우리의 생활이나 이익에 직접 관여하고 있으므로, 현재의 경제나 그것을 분석하는 이론을 연구하는 것은 매우 의미 있는 작업일 것이다. 전 세계의 많은 대학과 연구기관에서는 지금도 경제이론과 현재의 경제에 관한 연구를 계속해서 진행 중에 있다. 그리고 그 성과는 거시경제 정책의 운영, 경제제도의 설계, 금융상품의 설계 등 경제의 여러 분야에 널리 활용되고 있다.

이에 비해 과거에 있었던 경제현상을 연구하는 것이 뚜렷한 의미가 있다고는 말하기 힘들다. 그럼에도 경제사는 전 세계의 많은 대학에서 연구되고 있다. 현재 진행 중인 경제사 연구를 잘 알 수 있는 방법 중 하나는 주요한 국제학술지를 읽어보는 것이다. 경제사 연구의 분야에서는 ≪경제사 저널(The Journal of Economic History)≫, ≪경제사 탐구(Explorations in Economic History)≫, ≪경제사 리뷰(The Economic History Review)≫ 등과 같은 주요한 국제학술지가 있어서 매호에 걸쳐 새로운 연구 성과들이 많이 발표되고 있다. 경제사에 관한 연구라 하더라도 이 책에서 소개하는 몇 가지의 논문과 같이 경제학 일반에 폭 넓은 함의를 갖는 경우에는 ≪미국 경제 리뷰(American Economic Review)≫, ≪계간 경제학 저널(Quarterly Journal of Economics)≫, ≪정치경제학 저널(Journal of Political Economy)≫ 등과 같은 경제학 분야의 톱 저널에 게재되는 경우도 있다. 도서관 등에서 전자저널을 이용할 수 있는 사람들은 그것을 이용해 보는 것도 좋은 방법이 될 것이다. 이 책도 이러한 여러 학술지에 발표되었던 연구 성과들에 힘입은 바가 크다.

앞서 말한 대로 경제사 연구는 전 세계에서 이루어지고 있으며, 일부 자연과학의 지원 금액에는 미치지 못하지만 경제사 연구를 위해서도 각종 사회적 자원이 투입된다. 일본의 경우를 보자면 국립대학법인은 세금에서 예산을 확보한다. 그리고 사립대학은 사적자금을 이용해서 연구자를 고용하고 연구실을 마련하며 도서와 컴퓨터 등을 구입한다. 이렇듯 경제사를 연구하기 위해 사회의 귀중한 자원을 배분하고 있다는 것은 무엇을 의미하는 것일까?

2. 역사적 교훈

1) 역사를 통해 배운다는 것은 가능할까?

경제사 연구의 의미가 무엇이냐고 누군가 묻는다면, 제일 먼저 떠오르는 대답은 '역사적 교훈'일 것이다. 20세기를 대표하는 역사학자 중 한 명인 아널드 토인비(Toynbee, A. J. T.; 1889~1975)는, 문자 그대로 '역사적 교훈'이라는 제목으로 일본에서 강연을 했고, 일본어로 된 강연록도 이미 시중에 출판되어 있다. 그는 역사가 우리에게 미래를 예측하거나 예언하는 기술을 가르쳐주는 것은 아니라고 단언한 뒤 다음과 같이 말했다. "만약 현재의 상태와 매우 닮아 있는 과거의 상태에 대한 지식을 가지고 있다면……

그러한 지식은 미래에 일어날 수 있는 여러 가지 가능성에 대해 적어도 한 가지의 가능성을 가르쳐준다."[1] 토인비는 역사적 교훈을 활용한 구체적인 예로서 17세기 영국에서 일어난 청교도혁명과 명예혁명을 통해 영국인이 배운 '절도를 중시하는 정치적 전통'을 들고 있다.

20세기 역사학에서 또 한 명의 석학인 E. H. 카(Carr, E. H.; 1892~1982)도 역사학의 방법에 관한 그의 저서 속에서 역사적 교훈에 대해 기술하고 있다. 그가 말하고 있는 역사적 교훈이 활용된 예는 제1차 세계대전을 종결시킨 파리강화회의에서 영국 대표단이 취한 행동이다. 카에 따르면 파리강화회의에서 영국 대표단은 100년 전 나폴레옹 전쟁을 종결시킨 빈회의에서 터득한 두 가지의 교훈대로 행동했다. 첫 번째는 유럽의 국경선을 변경할 때는 절대로 민족자결주의의 원칙을 무시해서는 안 된다는 점, 그리고 두 번째는 비밀문서를 버릴 때는 절대로 휴지통을 이용해서는 안 된다는 점이다. 버려진 종이쓰레기는 타국 대표단의 스파이들이 전부 돈을 주고 사들이기 때문이다.[2]

상술한 두 가지의 예는 모두 정치사(政治史)에 관련된 것이기는 하지만, 경제사에서도 기나긴 세월 동안 사람들이 경험해온 갖가지 성공과 실패에 관한 사례가 잘 기록되어 있다. 그러한 경험을 통해 우리는 많은 것을 배울 수 있다. 경제사 분야에서 찾아볼 수 있는 역사적 교훈으로서 알기 쉬운 예로 개발도상국이 선진국의 경제발전 경험을 통해 얻을 수 있는 교훈을 들 수 있다. 오늘날 세계 각국의 경제적 발전 정도에는 엄청난 편차가 존재한다. 세계은행의 데이터에 따르면, 2015년의 1인당 명목 GDP(US달러 기준)는 최상위인 룩셈부르크가 10만 2716달러인 데 비해, 최하위인 부룬디는 304달러에 지나지 않는다. 일본은 188개국 중 20위권에 해당하는 3만 2479달러이고, 한국은 30위권인 2만 7221달러이다.*
제2장에서 다시 상세하게 살펴보겠지만, 선진국도 예전에는 오늘날의
개발도상국과 소득수준이 비슷했다. 따라서 일본을 포함한 선진국이
과거에 경험해온 경제사 중에서는 개발도상국이 오늘날 직면하는 현실
과 적어도 일부분에서는 공통점이 있다. 그리고 그러한 사고방식에 입각
해 개발경제학의 연구자나 개발원조에 관한 정책 당국자들의 상당수가
경제사를 통해 교훈을 얻으려 한다.

2) 「동아시아의 기적」과 그 재고(再考)

예를 들면, 유력한 개발원조기관의 하나인 세계은행은 1993년에 「동아
시아의 기적」이라는 보고서를 발표했다.[3] 일본, 홍콩, 한국 등 동아시아
8개국(지역)이 1965년부터 1990년까지의 기간 동안, 세계 여타 국가보다
월등히 높은 경제성장을 달성했다는 사실이 그 보고서의 출발점이 되었
다. 세계은행은 이러한 8개국의 경험을 분석해서, 다른 개발도상국들에게
제시할 만한 교훈을 찾아내고자 했다. 우선 무엇보다도 인플레이션의 조
절, 환율의 유연한 조정, 인적자본 축적, 금융제도 안정을 통한 저축 증진,
상대적으로 작은 가격 왜곡, 해외기술의 흡수라는 전통적인 개발정책의
표준이 이들 국가 및 지역들에서 확보되어 있었다는 사실이 밝혀졌다.

그러나 동시에 지금까지 개발정책의 표준이라고 생각되어온 것에서
이탈한 특징들도 관찰되었다. 그것은 지금까지 바람직하다고 여겨져 온

---

* 데이터의 출처는 세계은행(http://www.worldbank.org. 역자 주).

수준 이상으로 정부에 의한 경제개입이 있었다는 사실이다. 그때까지만 해도 개발경제학에서는, 시장 메커니즘은 효율적이며 시장이 효율적인 자원배분을 실현할 수 없는 이른바 '시장의 실패'는 설령 일어난다고 해도 매우 드문 일이라고 생각해왔다. 바꿔 말하면, 신고전파 경제이론이 개발경제학과 개발원조 관계자들의 사고(思考)의 주류를 차지하고 있었던 것이다. 신고전파 경제이론에서는 산업 간이나 기업 간의 자원배분에 정부가 개입하는 미시적인 정책, 즉 산업정책이 경제발전에 미치는 이익 보다는 폐해가 크다고 보았다. 이러한 전통적인 견해에서 보았을 때, 산업 정책을 실시해온 동아시아의 국가들이 높은 경제성장을 실현했다는 사실 은 설명하기 어려운 수수께끼와도 같은 것이었다.

세계은행의 보고서 「동아시아의 기적」에서는 이러한 사실을 설명하기 위해 지금까지의 전통적인 개발정책의 틀을 약간 수정하여, '**시장에 우호 적인**(market friendly)' 정책이라는 개념을 새롭게 제시했다. 분명히 산업정 책은 실시되었지만, 원조를 받아야 하는 산업을 선택할 때는 국제시장의 눈높이에 맞춘 경쟁이 도입되었고 정부는 경쟁의 결과를 판정하는 심판의 역할을 해왔다는 것이다. 이렇게 해서 일본을 포함한 동아시아 국가들의 경제발전의 역사를 통해 현재와 미래의 개발정책에 대한 새로운 경제적 함의와 교훈이 도출되었다.

흥미롭게도 「동아시아의 기적」이 제기한 이러한 시각은, 1990년대에 들어 동아시아의 국가들이 성장률 저하와 금융 위기를 겪으면서 재검토되 었다. 그 결과는 마찬가지로 세계은행의 프로젝트로서 2001년에 경제학 자 조지프 스티글리츠(Stiglitz, J.) 등이 편찬한 『동아시아의 기적을 재고한 다』라는 저서에 잘 드러나 있다.[4] 이번에는 동아시아의 국가들이 1980년대까지 거듭해온 눈부신 성장을 왜 그 이후에까지 지속시킬 수 없었는지에 대한 실패의 경험을 통해 교훈을 얻으려는 시도가 행해진 셈이다.

3. 현재의 상대화

1) '상식'에서의 탈피

'역사적 교훈'이라는 생각의 틀이 어떠한 의미에서는 과거와 현재의 공통점에 주목하고 있다는 것과 비교해서, 반대로 **과거와 현재의 차이점**을 드러내 보이는 것도 역사 연구 내지 경제사 연구의 중요한 기능이다. 경제관계나 행동양식 중에서는 현재 지극히 일반적이기 때문에 우리 머릿속에서 자연스럽게, '그것은 절대 변동되지 않는 것'이라며 이미 주어진 여건으로 받아들이는 것들이 있다. 그런데 역사를 살펴보면서 가령 그 경제관계나 행동양식이 과거의 어떤 시기에는 결코 일반적이지 않았다는 사실이 밝혀졌다고 해보자. 그렇다면 그러한 경제관계나 행동양식을 지금까지 주어진 여건으로 전제해온 것이 반드시 적절했다고는 할 수 없다. 그뿐 아니라 우리 생각의 틀 자체를 고쳐야 할 필요마저 생긴다. 이렇듯 현재에 주어진 여건으로 받아들이고 있는 사실들을 과거의 사실에 비추어 상대화하는 것이 경제사 연구의 두 번째 의미이다.

그 시도 자체가 성공적이었는지 여부는 놔두고 **'현재'의 상대화**를 시도해 경제사 연구에 큰 족적을 남긴 인물이 바로 카를 마르크스이다. 마르크스는 저서 『자본론』의 집필 준비를 하면서 수많은 초고를 남겼다. 그중 하나가 일본에서 『자본주의적 생산에 선행하는 제 형태』라는 이름으로 번역된 초고이다.[5] 첫 부분에서 마르크스는 자본주의, 즉 '자본'(이윤동기에 의해 경영되는 기업)이 임금을 지불하고 노동자를 고용하는 구조는 '자유로운 노동자'의 존재를 그 역사적인 전제조건으로 한다고 서술하고 있다. 여기서 '자유로운 노동자'란 자신의 토지를 가지지 못한 노동자이자 동시에 촌락 등에서 공동체가 관리하는 토지도 이용할 수 없는 노동자라는 의미이다. 계속해서 마르크스는 이러한 전제조건이 형성되기 이전의 사회, 즉 공동체가 사람들의 생활에서 중요한 기능을 했던 사회에 대해 서술하고 있다.

마르크스가 살던 시대에 영국에서는 이미 자본주의가 당연한 것으로 받아들여지고 있었다. 그러나 마르크스는 자본주의 이전의 사회를 연구함으로써 자본주의가 고대 이래 진행되어온 생산양식의 발전단계 중에서 단지 하나의 단계일 뿐이라는 것을 인식하게 되었다. 그리고 그로부터 자본주의는 변화할 수도 있는 것이라는 시각과 함께, 더 나아가 변화 후의 사회에 대한 비전을 제시했다. 이러한 마르크스의 시각에 대해서는 제3장에서 다시 한 번 상세하게 살펴볼 것이다. 오늘날 전체적으로 조망해 보았을 때, 이러한 마르크스의 역사이론이 타당하다고는 볼 수 없다. 특히 자본주의 이후의 사회에 대한 비전이 잘못되었다는 점은 소련 붕괴 등과 같은 1980년대 말 이후의 사정을 감안한다면 더더욱 명백해졌다고 말해도 좋을 것이다. 제3장에서도 살펴보겠지만, 마르크스가 이러한 잘못된 인식을 가지게 된 것은 그의 경제이론에서 이유를 찾을 수 있다. 그러나 **고용관계를 축으로 경제활동이 영위된다**고 하는 현재(마르크스가 살고 있던 당시 – 역자 주)의 경제적 기본틀이 역사적으로 어느 특정한 시기에 생겨난

그림 1-1　이직률의 미·일 비교

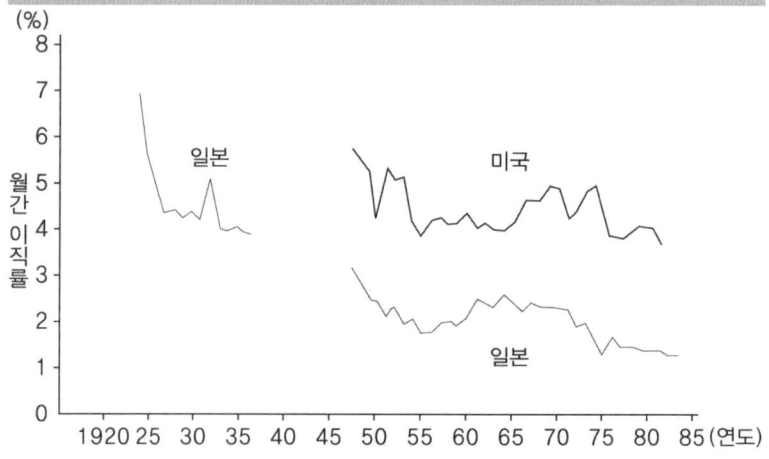

자료: Jacob Mincer and Yoshio Higuchi, "Wage Structures and Labor Turnover in the
United States and Japan," Journal of the Japanese and International Economies,
2, 1998, pp. 97~133; 岡崎哲二·奧野正寬,『現代日本經濟システムとその歷史
的源流』, 日本經濟新聞社, 1993, p. 7.

것이라는 시각 자체는 경제사회에 대한 인식의 틀로서 오늘날에도 여전히
그 유용성이 유효하다고 할 수 있다.

2) '종신고용'과 일본문화

다른 예를 한번 들어보자. 현재 일본 기업들이 여러 면에서 미국이나
영국의 기업들과는 다르다는 것은 잘 알려진 사실이다. 그중에서 이른바
'종신고용'이라는 것이 있다. 최근에는 변화하고 있다는 견해도 있지만,
종신고용이란 대기업이 신규 졸업자를 채용해서 그들이 정년이 될 때까지
고용하는 관행을 가리킨다. 말 그대로 '종신(終身)'일까 아닐까 하는 문제

는 놔두고라도, 제2차 세계대전 이후 일본 기업들의 종업원 이직률(1개월 간의 이직자 / 전월 말의 재직자)이 미국의 기업들에 비해 매우 낮은 수준이었다는 사실은 **그림 1-1**에서 쉽게 확인할 수 있다. 일본의 이직률은 미국의 이직률의 약 1/2 수준을 유지하고 있다.

이러한 차이를 설명할 수 있는 가능한 해석 중 하나는, 이직률의 차이가 일본과 미국 간의 문화 차이 내지 국민성의 차이에서 기인한다는 것이다. 그러나 경제사를 거슬러 올라가 보면, 이러한 해석이 전혀 타당하지 않다는 것을 금방 알 수 있다. **그림 1-1**에는 제2차 세계대전 이전의 일본의 데이터도 함께 표시되어 있다. 이것에 의하면, 당시 일본에서의 이직률은 전후의 미국과 비슷하게 높은 수준에 있었다. 실제로 제2차 세계대전 이전의 일본에서는 대기업도 불황기에 해고를 활발히 함으로써 고용조정을 실시하고 있었다. 그렇다면 '종신고용'이 일본의 문화에 그 뿌리를 두고 있다는 해석은 의심하지 않을 수 없다. 그리고 이러한 인식 자체는 현재의 일본 기업들의 고용제도를 문화적 문제로 환원하는 것이 아니라 그 기능과 존재이유에 대해 이론적·역사적으로 설명하는 접근방식의 필요성을 역설하는 것이다.[6]

4. 실험실로서의 역사

1) 프리드먼·슈바르츠의 화폐사 연구

거시경제학의 유력한 한 학파인 **통화주의**를 확립한 밀턴 프리드먼

(Friedman, M.; 1912~2006)은 경제사에 관한 대저(大著)를 남겼다. 경제사학자인 안나 슈바르츠(Schwartz, A.; 1915~2012)와 공동으로 저술한『미국화폐사: 1867~1960(A Monetary History of the United States, 1867~1960)』가 바로 그것이다.[7] 이 두 사람은 미국의 화폐잔고에 대해 약 100년에 걸친 장기 시계열 데이터를 정비해 실질 GNP, 명목 GNP, 물가 등과 같은 거시경제변수와의 상호관계를 조사했다. 또한 화폐잔고를 다음과 같은 등식을 이용해 요인별로 분해하여 변동요인을 찾아냈다.

$$M = H \cdot \left[\frac{D}{R}\left(1 + \frac{D}{C}\right) \right] / \left(\frac{D}{R} + \frac{D}{C} \right)$$

여기에서 H는 중앙은행의 부채인 본원통화, D는 민간이 보유하는 예금, C는 민간이 보유하는 현금, R은 은행의 중앙은행에 대한 지급준비를 나타낸다. 따라서 화폐잔고는 본원통화의 공급(H), 은행의 지급준비율 $\frac{D}{R}$, 민간의 현금에 대한 예금선호의 정도 $\frac{D}{C}$ 이렇게 세 가지의 요인으로 분해될 수 있다. 프리드먼과 슈바르츠는 이러한 간단한 등식을 근거로 해서 **화폐잔고의 변동과 그 뒤에 숨어 있는 역사적 배경을** 세밀하게 그려냈다.

800쪽이 넘는 두꺼운 책을 간단하게 요약해보면, 다음과 같은 세 개의 명제를 도출해낼 수 있다. 첫째, **화폐잔고의 변화는 경제활동, 명목소득, 물가와 밀접한 상관이 있다.** 둘째, 이것들의 상관관계는 **장기에 걸쳐 상당히 안정적이다.** 셋째, 화폐잔고의 변화는 때때로 **독립적인 요인을 가지고 있어서** 단순히 경제활동을 반영한 것만은 아니다. 이 세 가지는 통화주의자들의 주요 명제이기도 하다. 첫 번째와 두 번째 명제는 그림 1-2에서 어렵지 않게 확인할 수 있다.

M2 변화율

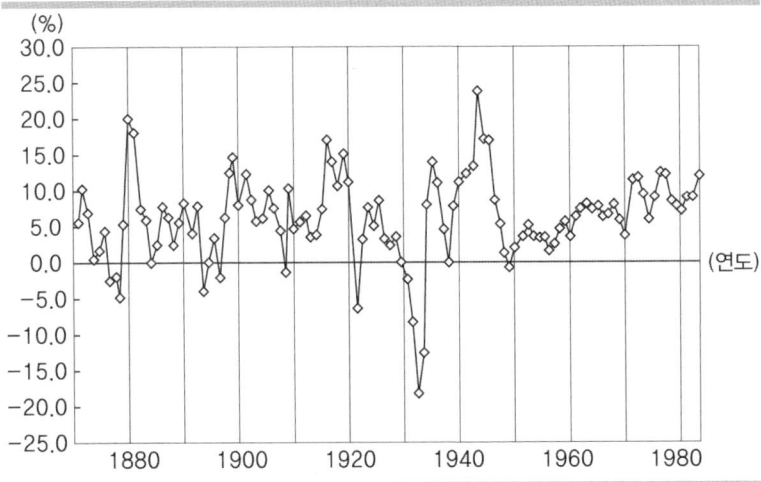

자료: Nathan S. Balke and Robert J. Gordon, "Historical Data," in Robert J. Gordon ed. The American Business Cycle: Continuity and Change, Chicago: Chicago University Press, 1986.

실질 GNP 변화율

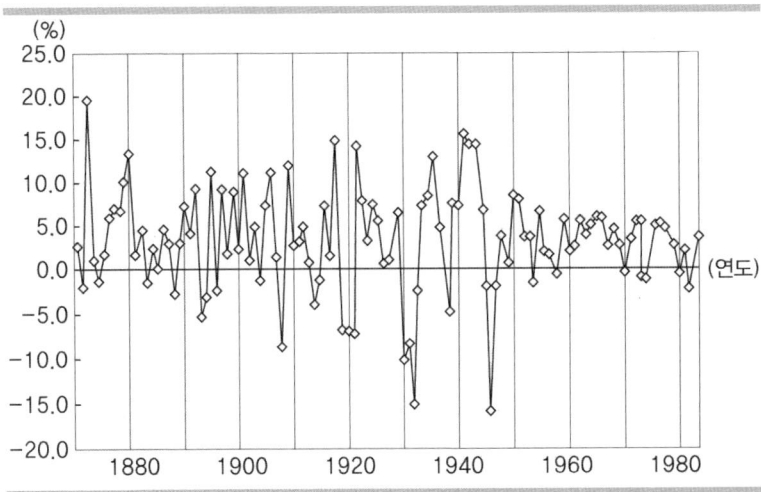

자료: 그림 1-2(a) 참조.

그림 1-2(c) 명목 GNP 변화율

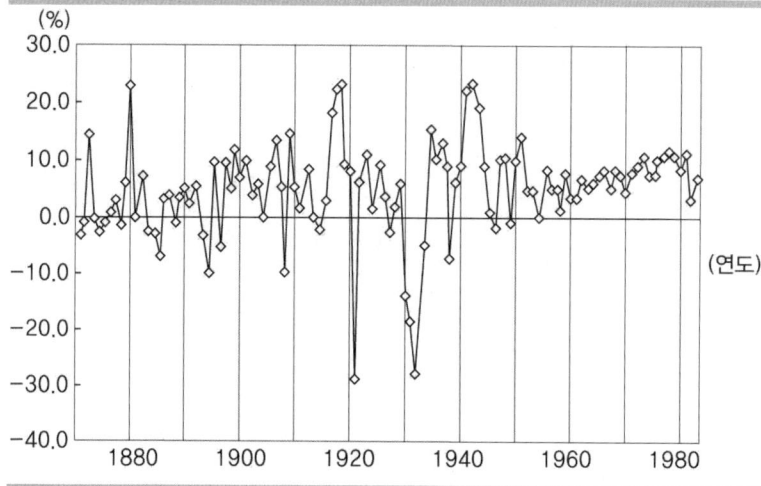

자료: 그림 1-2(a) 참조.

그림 1-2(d) GNP 디플레이터 변화율

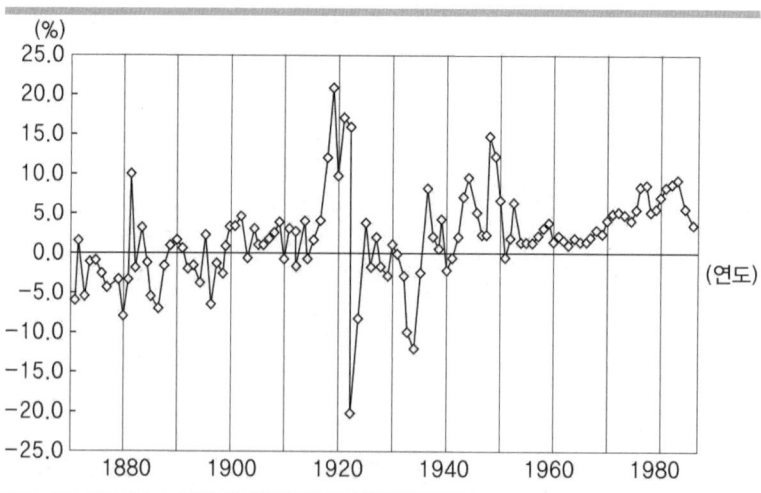

자료: 그림 1-2(a) 참조.

세 번째 명제는 이후 케인지언과의 논쟁의 대상이 되었다.〔시계열 분석에 관한 다양한 방법을 이용해 인과성(因果性) 테스트가 행해진 논점이기도 하지만〕 프리드먼과 슈바르츠는 미국 연방준비제도 등의 과거 역사적인 문서들을 조사해 **화폐잔고 변화의 독립성**을 논증했다. 즉, 프리드먼 등은 경제사 연구를 통해 경제현상에 대한 통찰을 얻고 그것을 뒷받침하는 작업을 수행했던 것이다.

본래 거시경제학 연구자인 프리드먼이 슈바르츠와 협력해서 화폐사를 연구한 이유는 무엇일까? 그 이유로 프리드먼이 거시경제변수들 간에 보이는 수년 단위의 상관관계에 관심이 있었다는 점을 생각해볼 수 있다. 화폐잔고나 GDP 등과 같은 거시변수는 정의에 따라 각각 하나의 국가에 하나의 계열씩밖에 존재하지 않는다. 따라서 거시변수에 대한 수년 단위의 상호관계를 정량적으로 분석하기 위해서는 장기간의 역사적 데이터를 이용하는 것이 필요하다. 말하자면, 장기간의 시계열 데이터를 생성시키는 실험실로서 경제사를 이용한 것이다. **실험실로서의 경제사**, 이것이 경제사를 연구하는 세 번째 의미이다.

2) 공황의 이론과 역사

그렇다면 경제의 미시적인 측면에 관한 연구에서는 경제사가 전혀 도움이 되지 않는 것일까? 확실히 미시적인 측면에서라면 횡단면의 정보, 즉 기업 간이나 가계 상호 간에 대한 정보를 이용할 수 있으므로 단지 수많은 데이터를 얻기 위해서 특별히 경제사를 연구할 필요는 없다. 그러나 미시적인 연구를 위해 경제사가 필요한 다른 중요한 이유가 있다. 현대의 경제에는 많든 적든 정부의 다양한 규제나 개입이 존재한다. 하지만 경제의 미시적 측면에 관한 연구는 많은 경우 규제 개입이 존재하지 않는다는 가정하에 이루어지고 있다. 이론의 타당성을 테스트하기 위해서는 규제가 없는 상태에서 생성된 데이터를 이용하는 것이 바람직하다는 것은 두말할 것도 없다. 이러한 경우에 역사를 거슬러 올라가 규제·개입이 없었던 시대를 찾아낼 수만 있다면 대단히 유용할 것이다.

이와 같은 관점에서 행해진 경제사 연구의 예로, 찰스 캘로미리스 (Calomiris, C.)와 게리 고튼(Gorton, G.)의 **금융공황**에 관한 연구를 들 수 있다.[8] 금융공황은 다수의 예금자가 동시에 거액의 예금을 인출하려고 한 결과, 은행이 예금환불 요구에 응할 수 없게 되어 지급정지를 선언하는 사태가 집중적으로 발생하는 현상을 말한다.

제2차 세계대전 이후에 일본에서는 금융공황이 발생한 적이 없으며 사정은 다른 여타의 선진국에서도 마찬가지이다. 정부에 의한 예금환불보증과 예금보험제도를 통해 예금자가 보호받을 수 있도록 되었기 때문이다. 금융공황의 메커니즘을 연구하는 입장에서 보면, 금융공황이 감소했다는 사실은 제2차 세계대전 이후에 실증연구를 수행하기 위한 관측수가 그리 많지 않다는 것을 의미한다. 그래서 캘로미리스와 고튼은 19세기 말부터 20세기 초에 걸쳐 미국의 데이터를 이용해서 금융공황의 발생 이유를 분석했다. 그들은 금융공황에 관한 두 가지 이론적 가설에서 추출해낸 경제적 함의를 실제 데이터와 대조하여 어떤 쪽 가설이 더 타당한지를 테스트하는 방식을 사용했다.

첫 번째 가설은, 금융공황은 금융공황이 발생한다고 하는 **자기실현적 예상**에 의해 일어난다는 것이다(예금인출 리스크 가설). 은행은 예금을 모아

대출에 운용하고, 그중 많은 부분은 기업의 차입자본이 된다. 기업은 은행에서 빌린 자금을 여러 용도로 사용하며 그 자금은 필요할 때마다 바로바로 회수가 가능한 것은 아니다. 다시 말해, 은행의 자산이 반드시 유동성이 높은 것은 아니다. 한편, 은행은 대출에 대해 100% 지급준비를 가지고 있지도 않다. 그 때문에 많은 예금자가 동시에 예금을 인출하려고 하는 경우, 모든 인출요구에 응하기 위한 현금을 준비하는 것이 힘들어지고 결국은 지급정지를 선언하고 마는 것이다. 이러한 관계가 있기 때문에 예금자는 어느 순간에 금융공황이 발생할지도 모른다는 예상을 하게 된다. 그리고 그런 상황에서는 다른 예금자들보다 재빨리 자신의 예금을 인출하는 것이 바람직한 행동일 것이다. 많은 예금자들이 이렇듯 자신에게 바람직하다고 생각하는 행동을 취한다면 실제로 금융공황이 일어나고 만다는 것이 바로 이 가설의 핵심 내용이다.

두 번째 가설은 금융공황은 은행과 예금자 사이에 존재하는 **정보의 비대칭성**에서 기인한다는 것이다(비대칭정보 가설). 많은 예금자들은 자신이 예금하고 있는 은행이 건전하게 경영되는지 어떤지에 대해 통상적으로 정보를 충분히 가지고 있지 않다. 그러한 상태에서 예금자가 현재 은행들 중에서 자산운영이 불건전한 은행이 있다는 정보를 입수했다고 가정해보자. 그러나 예금자는 그 많은 은행들 중에서 어떤 은행이 자산운영을 불건전하게 하는 은행인지 알 수가 없다. 그 때문에 많은 은행에서 일제히 예금인출이 일어나고, 결국은 금융공황이 발생한다. 그러나 일시적으로 지급정지가 발생하더라도 처음부터 건전한 자산운영을 해오던 은행이라면, 대출을 회수하는 식으로 순차적으로 예금환불에 응할 수 있어서 도산은 면할 수 있다. 반면, 불건전한 경영을 해오던 은행은 결국 예금환불에 응할 수가 없어서 마지막에는 도산하고 만다. 비대칭정보 가설에 따르면 금융공황은 예금자와 은행 사이에 존재하는 정보의 비대칭성을 해결하는 메커니즘이라는 것을 알 수 있다.

이 두 가지 가설 중에서 어느 쪽이 더 타당한지를 어떻게 하면 알 수 있을까? 예금자의 행동이나 심리를 관찰할 수만 있다면 직접적인 테스트가 가능하겠지만 그것은 말처럼 쉽지 않다.

이러한 경우 경제학자나 경제사학자는 우선 집중하고자 하는 이론이 타당하다고 가정해놓고, 그 결과 어떠한 현상이 관찰될지를 먼저 연역적으로 추론한다. 그런 후에 도출된 경제적 함의나 예상을 실제의 관찰 사실과 대조해본다. 만약 관찰된 사실이 예상과 일치할 경우, 예상의 근거가 되었던 가설은 적어도 기각되지 않는다. 반대로 관찰된 사실이 예상과 일치하지 않을 경우, 그 가설은 반증된 것이 되어 기각된다. 예금인출 리스크 가설로부터는 ① 금융공황은 현금수요가 많을 때 발생하기 쉽다, ② 은행도산은 특수한 현금수요가 발생하는 지역에서 일어나기 쉽다는 경제적 함의를 이끌어낼 수 있다. 이에 비해 비대칭정보 가설로부터는 ① 금융공황은 은행자산에 관한 부정적인 뉴스가 있을 때 발생하기 쉽다, ② 은행도산은 은행자산에 대한 마이너스 쇼크가 큰 지역에서 발생하기 쉽다는 경제적 함의를 이끌어낼 수 있다.

캘로미리스 등은 19세기 말부터 20세기 초까지의 금융공황에 관한 데이터를 수집한 결과 다음과 같은 사실을 밝혀냈다. ①에 대해서는, 금융공황이 반드시 계절적인 현금수요가 증대하는 시기에 발생하지는 않았지만 주가가 하락한 이후에는 다발적으로 발생했다는 사실이 확인되었다. ②에 대해서는, 금융공황기에 은행도산이 다발적으로 발생했던 지역은 지리적으로 서로 떨어져 있었던 반면, 지가가 하락하는 등의 마이너 스 자산 쇼크가 발생한 지역에서는 은행도산이 빈번했다는 사실이 밝혀졌 다. 이러한 사실은 모두 예금인출 리스크 가설을 근거로 한 예상과는 일치하지 않는다. 반면에 이것은 비대칭정보 가설을 근거로 한 예상과는 정확하게 일치한다. 결국 캘로미리스와 고튼은 경제사 연구를 기반으로 한 대체가능한 두 가지 가설 중에서 비대칭정보 가설이 예금인출 리스크 가설보다 타당하다는 결론을 도출해냈다.

3) 비교우위 원리의 자연실험

역사상 있었던 규제의 변경이나 큰 사건이 연구자들에게 귀중한 '실험' 의 기회를 제공해주는 경우가 있다. 자연과학에서 실험은 다른 조건들을 일정하게 유지한 채 하나의 조건을 인위적으로 변화시켜 그 결과를 비교 함으로써 변화시킨 조건의 효과를 알아보는 것이다. 경제학에서도 실험은 가능하다. 예컨대, 경제이론에서 도출된 결과를 실험을 통해 관찰할 수 있도록 피실험자의 행동과 경제이론을 비교하여 검증하거나, 랜덤으로 선정된 개발도상국에 정책적인 조치를 가하여 그 효과를 검증하는 방법이 그렇다. 즉, 자연과학과 동일한 의미의 실험을 행할 수 있는 실험경제학이 발달해왔다. 그러나 이러한 좁은 의미에서의 실험에서는, 테스트할 수 있는 대상에 한계가 있다.[9] 반면에 역사상 있었던 재해, 전쟁이나 정책 · 규제의 변화와 같은 큰 사건이 자연과학의 실험에서 연구자가 행할 때와 같은 조건의 변화를 가져올 때가 있다. 이것을 '**자연실험**(natural experiment)'이라고 한다. 이러한 자연실험은 최근에 경제학에서 가설검증의 한 방법으로서 확립되었다. 여기에서는 일본 경제사를 무대로 자연실험을 실시한 한 연구를 소개한다.

국제경제학의 가장 기본적인 명제 중에 **비교우위의 원리**라는 것이 있다. 19세기 영국의 경제학자인 데이비드 리카도(Ricardo, D.; 1772~1823)가 제창하고, 20세기에 들어와 헥셔(Hecksher, E. F.)와 올린(Ohlin, B. G.)이 발전시킨 경제이론이다. 가장 간단한 2국(A국, B국), 2재화(x, y)의 경우를 들어 비교우위 원리의 핵심을 요약해보면 다음과 같다. **무역이 존재하지 않는 상태**(Autarkie, 폐쇄적 자급경제)를 상정할 때 A국, B국의 x재, y재의 가격을 각각 P_x^A, P_y^A, P_x^B, P_y^B라고 하자. 이때 예를 들어 $P_x^A/P_y^A < P_x^B/P_y^B$라고 하면, A국은 B국에 대해 x재를 수출하고 y재를 수입하는 것이 타당하다는 것이 비교우위 원리의 골자이다. 즉, 무역이 존재하지 않는 상태에서 각 국내의 상대가격을 국제 간 비교한다는 것이 이 이론의 핵심이다.

그러나 현실에서 무역이 존재하지 않는 상태를 찾아보기란 쉽지 않다. 그렇기 때문에 현재의 데이터를 이용해 비교우위 원리를 직접 테스트해볼 수는 없다. 그러나 일본의 역사를 거슬러 올라가 보면 적당한 사례를 발견할 수도 있다. 에도(江戶)시대의 이른바 **쇄국**이 그러하다. 최근의 역사 연구에서는 쇄국이 말 그대로 무역이 존재하지 않는 상태를 의미하지는 않는다는 사실을 강조하는 경향이 있다. 예컨대, 나가사키(長崎)를 통한 대(對)네덜란드 무역, 쓰시마한(對馬藩)을 통한 대조선 무역, 사쓰마한(薩摩藩)을 통한 대류큐(琉球) 무역이 1639년에 이른바 쇄국이 완성된 이후에도 계속 이루어지고 있었기 때문이다. 그러나 어떠한 무역도 직간접적으로는 막부(幕府)의 관리 아래 있었고, 게다가 쇄국 이전에 수입되던 생사(生糸)

·설탕(砂糖) 등은 국내에서 대체생산이 이루어져 감에 따라 점차 축소되어갔다. 19세기 초의 일본은 무역이 거의 존재하지 않는 상태, 즉 폐쇄적 자급경제 상태에 근접했던 것이다.[10]

다니엘 베른호펜(Bernhofen, D.)과 존 브라운(Brown, J.)이라는 두 경제학자는 일본의 쇄국에 주목하고, 비교우위 원리를 실증적으로 테스트하는 방법을 생각해냈다.[11] 가장 폐쇄적 자급경제 상태에 가까운 데이터를 이용할 수 있는 국가는 일본밖에 없었으므로 적어도 2국 이상의 국제비교가 필요한 비교우위의 원리를 직접적으로 테스트해볼 수는 없다. 그래서 그들은 비교우위의 원리에서 다음과 같이 테스트가 가능한 명제를 도출해내고, 일본의 데이터를 이용해 그것을 검증하는 방식을 사용했다. 테스트에 사용된 명제는 다음과 같다. 폐쇄적 자급경제를 가정하고 각 재화의 가격에서 무역 개시 후의 수출재와 수입재의 가격을 평가한 후, 무역수지를 계산해보면 그 값이 마이너스가 된다는 것이다. 바꿔 말하면, 국제가격에 비해 폐쇄적 자급경제에서의 가격이 상대적으로 높은 재화는 수입되고, 낮은 재화는 수출된다는 것이다. 베른호펜과 브라운은 개항 후(1868~1875년)의 수출·수입재의 수량 데이터와 개항 전(1851~1853년)의 가격 데이터에서 개항 후 일본의 가상적인 무역수지를 계산해내고 그 값이 마이너스임을 제시했다. 이러한 자연실험을 이용한 연구는 역사가 문자 그대로 유효한 실험실임을 보여준다.

5. 역사적 경로의존성

1) '역사를 위한 변명'

끝으로 경제사를 연구하려는 다양한 의미 중에서도 가장 유력한 한 가지를 소개해보고자 한다. 20세기 프랑스의 역사학자 마르크 블로크 (Bloch, M.; 1886~1944)는 아날학파라는 유명한 역사학파의 창시자이다. 그는 2절에서 언급했던 토인비나 카 이상으로 오늘날의 역사학계에서 대단히 영향력 있는 역사 연구자 중 한 명이다. 블로크는 그의 생애 거의 끝 무렵에, "아빠, 그러니까 역사가 대체 무엇에 도움이 되는지 설명해봐요"라는 유명한 문장으로 시작하는 역사학방법론 저서를 남겼다.[12] 거기서 그는 역사를 공부하지 않고도 현재를 완벽히 이해할 수 있다는 사고방식에 대해, 그것은 "수많은 사회적 창조물에 대한 타력(惰力)의 존재를 잊고 있는 것"이라고 비판했다.

그 근거로서 블로크는 잘게 나뉜 파편과 같은 독특한 형태를 띠고 있는 북부 프랑스의 경작지 형태를 예로 들었다.

그림 1-3은 블로크의 저서에 실려 있는 것으로 18세기 북부 프랑스 칸 지방의 농지 지도이다.[13] 잘 보면 농지의 형태가 좁다랗고 긴 모양으로 잘게 나뉘어 있는 것을 알 수 있다. 그림에서 검게 칠해진 부분과 사선으로 채워진 부분은 각각 서로 다른 농민의 보유지에 해당한다. 즉, 농민 한 명이 여기저기에 분산되어 있는 농지를 보유하고 있는 셈이다. 이러한 토지의 소유 형태는 적어도 블로크가 살고 있던 시대까지도 이어지고 있었다.

그림 1-3 북부 프랑스 칸 지방의 농지(18세기)

자료: マルク・ブロック,『フランス農村史の基本的性格』, 河野健二・飯沼二郎譯, 創文
社, 1959年, 第Ⅲ圖.

이와 같은 토지 이용은 현재(블로크가 살고 있던 당시 — 역자 주)의 농작업
이라는 관점에서 바라볼 때 대단히 비효율적인 것임에 틀림없다. 그럼에
도 비효율적인 농지소유 형태가 현재에도 광범위하게 존재하는 이유에

대해 블로크는 현재의 모든 조건들을 전부 관찰하는 것만으로는 그 이유를 잘 설명할 수 없다고 주장했다. 독특한 토지의 이용 형태는 과거로부터 이어져 내려오면서 형성된 것이고, 역사를 살펴봄으로써 비로소 그 이유를 설명할 수 있다는 것이다.[14]

2) 역사와 QWERTY

블로크의 주장은 오늘날 '**경로의존성**(path dependence)'이라 불리는 현상과 정확하게 일치한다. 블로크의 사후 40년이 지난 1985년에 경로의존성의 기능을 다시금 강조하며 그 이론적 근거를 제시한 논문이 발표되었다. 폴 데이비드(David, P.)라는 미국의 경제사학자가 쓴 「Clio(역사의 여신)와 QWERTY 경제학」이라는 논문이다.[15] 자주 인용되는 논문이므로 조금 자세히 그 내용을 소개한다.

데이비드는 "만물이 어떤 과정을 거쳐서 그렇게 되었는지를 이해하지 않고서 논리나 비논리를 명확하게 따질 수는 없다"라고 주장했다. 이것이야말로 블로크가 제기했던 논점 그 자체이다. 데이비드는 일련의 경제적 변화에서 최종적인 결과가 시간적으로 떨어져 발생한 사건들로부터 크게 영향을 받는 현상, 즉 경로의존성의 문제를 강조했다. 그는 경로의존성을 증명하기 위해 타자기나 컴퓨터 자판의 배열에 주목했다.

오늘날 사용되는 컴퓨터 자판은 대부분 왼쪽 윗부분 끝에서부터 Q, W, E, R, T, Y, …… 의 순서로 배열되어 있다(그림 1-4). 이것은 앞에서 설명했던 북부 프랑스의 경작지와 마찬가지로, 그냥 보면 상당히 이상한 배치이다. 왜, A, B, C, D, E처럼 알기 쉬운 배열을 택하지 않았을까?

그림 1-4 구식 타자기와 두 종류의 키보드

QWERTY식 키보드

DSK식 키보드

처음으로 키보드를 접한 사람이라면 누구나 이런 의문이 든다. 금방 떠오르는 대답은, 사실 익숙해지기만 한다면 그러한 자판의 배열이 타이핑하기에 가장 합리적이기 때문이 아닐까 하는 것이다. 그러나 데이비드에 의하면, 그것은 정답이 아니다. 예전에는 QWERTY식 자판과는 키가 다르게 배열된 DSK식 자판이 있었다. 타이핑을 위한 합리적인 자판의 배열이라는 점에서 보면 DSK식이 QWERTY식보다 뛰어나다는 것은 객관적으로도 여러 근거가 있다. 첫째, 타이핑 속도의 세계기록은 QWERTY식 자판이 아니라 DSK식 자판으로 달성되었다. 둘째, 1940년대에 미 해군이 실시한 조사에 따르면 DSK식이 QWERTY식보다 효율적이며, 게다가 DSK식 자판을 사용하기 위해 필요한 재(再)훈련비용은 10일간의 능률상승분으로 충분히 충당할 수 있다.

이러한 사실들을 생각해보면 현재 시점에서 QWERTY식 자판의 특성을 얼마든지 발견해낸다 하더라도, 오늘날 QWERTY식 자판이 이렇게까지 널리 보급되어 있는 이유를 잘 설명하지 못한다는 것을 알 수 있다. 그 이유를 설명하기 위해서 타자기의 역사를 살펴볼 필요가 있다. 타자기는 1860년대 미국에서 인쇄업을 하던 크리스토퍼 숄즈와 그의 동료들이 발명했다. 당시의 타자기는 각각의 활자가 금속으로 된 봉의 끝에 새겨져 있는 구조였다(그림 1-4). 이러한 구조에서 서로 근접해 있는 키를 짧은 간격으로 때리면, 활자를 지지하는 금속 봉이 서로 엉켜버리고 만다. 이를 피하기 위해서는 근접해 있는 키들을 짧은 간격을 두고 두드리는 일이 없도록 해야 했고, 이를 고민한 끝에 QWERTY와 같은 자판배열을 고안해낸 것이다. QWERTY식 자판배열은 당시의 타자기 구조를 전제한다면 합리적으로 설계되었다고 볼 수 있다.

3) 보완성과 네트워크 외부성

그러나 1960년대 IBM사가 골프공과 같은 구(球)의 표면에 활자를 새겨 넣고 그것을 전기적으로 작동시켜 인쇄하는 타자기를 발명하면서, 활자를 지지하던 금속봉은 곧 필요 없게 되었다. 말할 것도 없이 컴퓨터에서는 글자를 새겨 넣을 필요조차 없어졌다. 그럼에도 QWERTY식 자판이 오늘날에도 계속해서 널리 사용되는 이유는 무엇일까?

그 이유는 경제이론으로 설명될 수 있다. 첫째, 키보드라는 하드웨어와 타이핑 기능이라는 소프트웨어 사이에는 보완성이 존재한다. 즉, 사용자 측에서 보면 QWERTY식 자판을 자유자재로 사용하기 위해서는 그것에 맞는 타이핑 기능을 몸에 익히지 않으면 안 된다. 또한 키보드를 만드는 회사 측에서 보면 어떤 한 가지 유형의 키보드를 사용하는 사람들이 많으면 많을수록 그 유형의 키보드는 잘 팔리게 된다.

둘째, 키보드에 관한 소비에는 네트워크 외부성이라고 불리는 일종의 외부성이 존재한다. 즉, 어떤 한 가지 유형의 키보드를 사용하는 소비자가 많으면 많을수록 어떤 한 소비자가 그 유형의 키보드를 사용하는 효용이 높아지는 성질이다. QWERTY식 키보드를 사용할 수 있는 기능을 가지고 있으면, 집에서는 물론 학교나 회사에서도 심지어는 외국에 나가서도 그 기능을 이용해 효율적으로 타이핑을 할 수 있다는 것을 생각해보면 쉽게 이해할 수 있을 것이다.[16)]

이러한 보완성과 네트워크 외부성 때문에 19세기 후반에 일단 보급된 QWERTY식 자판은 150년 가까이 지난 지금까지도 사실상 표준의 지위를 유지하고 있다. 이렇게 말하면, 보완성과 외부성에 의해 QWERTY식 자판이 지배적인 위치를 차지하게 된 연유가 설명되므로 역사 연구는 필요 없다고 생각할지도 모르겠다. 그러나 그렇지 않다. 이론적으로 설명할 수 있는 부분은 한번 선택된 QWERTY식 자판이 어째서 지배적인 지위를 계속해서 유지할 수 있는가에 관한 것이고, 왜 그러한 상태에 도달하게 되었는가는 역사를 살펴봄으로써 비로소 설명할 수 있기 때문이다. 데이비드의 경로의존성은 마르크 블로크를 필두로 하는 많은 역사학자들이 직감적으로 이해하고 있던 역사 연구의 의미에 명쾌하고 설득력 있는 이론적 근거를 제시해준 셈이다.[17)]

경로의존성은 게임이론을 이용해서도 표현할 수 있다. 게임이론은 현대의 미시경제학에서 핵심적인 분야이다. 그 중심 개념은 내쉬균형(Nash Equilibrium)이다. 게임이론에서는 게임에 참가하는 다수의 플레이어가 어떠한 전략, 즉 행동이나 행동계획을 선택해서 그러한 전략 간의 상호작용

표 1-1 키보드 선택의 게임

		[플레이어 2]	
		QWERTY	DSK
[플레이어 1]	QWERTY	2, 2	1, 2
	DSK	2, 1	3, 3

이 존재하는 상황을 상정하고 있다. 즉, 어떠한 플레이어가 어떠한 전략을 취하는가에 따라 얻을 수 있는 이득은 다른 플레이어가 취하는 전략에 의존하고 있는 상황이다. 그리고 내쉬균형은 각각의 플레이어가 **자신의 전략을 변경하는** 것으로 더는 이득을 증대시킬 수 없는 상태를 말한다. 이러한 상태에서는 어떠한 플레이어에게도 자신의 전략을 변경할 인센티브가 없게 되고, 따라서 그 상태가 지속된다.

구체적인 수치를 사용해 설명해보자. 게임을 표현하는 한 가지 방법으로 **표 1-1**이 있다. **전략형 게임**이라고 불리는 표현방법이다. **표 1-1**에서 플레이어 1의 우측에 적혀 있는 QWERTY, DSK는 플레이어 1의 전략을, 플레이어 2의 아래에 적혀 있는 QWERTY, DSK는 플레이어 2의 전략을 각각 나타낸다. 이 경우에 플레이어가 두 명이고 각각의 플레이어가 취할 수 있는 전략이 두 가지씩이므로, 가능한 전략의 조합은 네 가지가 존재한다. 표를 구성하고 있는 네 개의 셀 안에 적혀 있는 숫자의 조합은 어떠한 전략조합이 선택된 경우에 플레이어 1과 플레이어 2가 얻을 수 있는 보수를 나타내고 있다. 좌측의 숫자가 플레이어 1, 우측의 숫자가 플레이어 2의 보수이다. 예를 들면, 좌측 상단의 (2, 2)는 플레이어 1과 플레이어 2가 똑같이 QWERTY 전략을 선택한 경우, 각각의 플레이어가 2의 보수를 얻는다는 것을 의미한다. 마찬가지로 우측상단의 (1, 2)는 플레이어 1이 QWERTY, 플레이어 2가 DSK 전략을 선택한 경우에 두 플레이어의 보수가 각각 1, 2가 된다는 것을 나타낸다.

상기 표에서의 수치는 키보드 유형에 네트워크 외부성이 있는 경우를 표현하고 있다. 두 명의 플레이어가 동일한 유형의 키보드를 고르면 상대가 다른 유형을 선택한 경우에 비해 높은 보수를 얻을 수 있기 때문이다. 그 사회의 다른 구성원들이 사용하고 있는 것과 똑같은 키보드에 숙달되어 있는 편이 (그렇지 않은 경우에 비해) 장점이 된다는 네트워크 외부성의 특징을 이러한 보수구조로 표현하고 있는 것이다.

이 게임에서는 두 개의 내쉬균형이 존재한다. 바로 QWERTY-QWERTY와 DSK-DSK이다. QWERTY-QWERTY가 내쉬균형이 되는 이유는 다음과 같다. 균형 상태에서 플레이어 1이 DSK로 전략을 변경하면 자신의 보수는 2에서 1로 낮아진다. 또한 플레이어 2가 DSK로 전략을 변경해도, 자신의 보수는 그대로 2이다. 따라서 QWERTY-QWERTY에서 두 플레이어는 전략을 변경할 유인이 없다. DSK-DSK의 상태에 있을 경우에는 어떻게 될까? 이 경우에도 플레이어 1(플레이어 2)이 전략을 변경할 경우 보수는 감소하므로 DSK-DSK에서 벗어날 유인이 없기 때문에 내쉬균형이다.

이에 비해 QWERTY-DSK의 경우, 플레이어 1은 전략을 DSK로 변경해서 보수를 1에서 3으로 증가시킬 유인이 있다. 따라서 QWERTY-DSK는 내쉬균형이 아니다. 동일한 방식으로 DSK-QWERTY도 설명할 수 있다.

지금까지 **표 1-1**의 게임에서 두 개의 내쉬균형이 존재하는 상황을 설명했다. 이러한 상황을 '복수균형이 존재한다'라고 한다. 복수의 균형에서 어느 쪽이 선택될 것인지를 연역적으로 추론할 수는 없다. 일단 QWERTY-QWERTY에서 균형이 성립되면, 플레이어들은 균형에서 이탈할 인센티브를 가지지 못하고 안정적인 상태가 유지된다. 즉, 어떠한 역사적인 사정에 의해 과거에 QWERTY-QWERTY가 선택된 것이, 현재 DSK-DSK가 아니라 QWERTY-QWERTY가 선택되고 있는 이유가 된다. 다시 말해, 균형의 선택에 경로의존성이 존재하는 것이다.

또 두 개의 균형을 비교해보면, QWERTY-QWERTY의 경우 보수가 (2, 2), DSK-DSK의 경우 보수가 (3, 3)인 것을 알 수 있다. 이것은 타이핑의 기술적 합리성이라는 관점에서 보면 DSK식이 상대적으로 더 우수하다는 것을 표현한 것이다. 바꿔 말하면, DSK-DSK 균형이 QWERTY-QWERTY 균형보다 '파레토 우위'에, 반대로 QWERTY-QWERTY 균형은 DSK-DSK 균형보다 '파레토 열위'에 있다. QWERTY-QWERTY 균형의 경우, 두 명의 플레이어가 함께 보수를 증가시킬 수 있는 다른 균형이 존재함에도, QWERTY-QWERTY에서 안정을 유지하고 있는 셈이다. 이렇듯 복수균형의 상황에서 경로의존성이 존재할 때 파레토 열위의 균형이 계속 유지되는 경우도 있을 수 있다.

❶ 시중에 나와 있는 다양한 경제사 관련 서적을 읽어보고, 경제사 연구의 의의를 다시 한 번 생각해보자.

❷ 제2차 세계대전을 경계로 세계대전 전과 후의 일본 기업들의 고용관행에 대해 조사해보자.

❸ 케인지언의 입장에서 서술된 대공황에 관한 대표적인 연구로서 피터 테민 (Temin, Peter), *Lessons from the Great Depression*(Cambridge, MA: MIT Press, 1989)이 있다. 프리드먼과 슈바르츠의 A Monetary History of the United States의 제7장을 읽고서, 피터 테민의 시각과 비교해 어떠한 차이점이 있는지 설명해보자.

❹ 쇄국에서 개방경제로의 이행이 조선시대 말기 경제에 어떠한 영향을 미쳤는지 알아보자.

❺ QWERTY식의 자판 이외에, 역사적 경로의존성을 확인할 수 있는 역사적 사실에는 어떠한 것들이 있는지 예를 들어보자.

사이먼 쿠즈네츠(Kuznets, S. S.)가 시작한 국민소득의 장기추계를 통해 우리는 장기적인 경제성장의 프로세스를 객관적으로 파악할 수 있게 되었다. 인류 전체가 전부 해당되는 것은 아니지만 적어도 일부는 최소한 19세기 초부터 1인당 GDP의 지속적인 성장을 누려왔다. 경제성장은 예전부터 경제학자들에게 초미의 관심사였고 표준적인 이론도 이미 확립되어 있다.

신고전파 성장이론[로버트 솔로(Solow, R. M)의 성장모형]은 저축률, 인구성장률, 기술진보율, 감가상각률이라는 네 가지 파라미터를 포함하는 간단한 모형을 통해 경제성장의 프로세스를 훌륭하게 그려내고 있다. 그리고 실증적으로도 이러한 파라미터들을 이용해서 1인당 GDP의 국가 간 차이를 잘 설명할 수 있다. 그러나 이런 파라미터들 자체의 결정요인 및 솔로 모형에서 설명할 수 없는 잔차항의 부분에 대해서는 여전히 많은 연구과제를 남겨놓고 있다.

제2장

경제성장

키워드

국민소득계정, 신고전파 성장이론, 저축률, 인구성장률, 기술진보율,
감가상각률, 인적자본

1. 경제성장과 그 예측

1) 사이먼 쿠즈네츠와 GNP의 장기추계

경제사와 관련이 깊은 경제학의 주제 중에는 **경제성장**이 있다. 경제성장이란 어떤 국가나 어떤 지역 혹은 가장 크게는 세계 전체에서 **경제활동이 장기적으로 확대되어가는 현상**을 말한다. 경제성장에 대해서 논할 때는 통상적으로 경제규모를 GDP(국내총생산)나 GNP(국민총생산)로 측정한다. 오늘날 GDP는 국민소득계정의 일환으로서 각국 정부가 매년 산정해서 발표하며, 세계은행이나 OECD와 같은 국제기관에서도 국제적으로 비교가 가능한 데이터들을 제공하고 있다. 그러나 각국의 정부가 GDP(GNP)를 매년 계산해서 발표하게 된 것은, 제2차 세계대전 이후의 일이다. 그러므로 그 이전의 GDP(GNP) 자료를 얻기 위해서는 연구자가 독자적으로 추계할 필요가 있다. 즉, 현재 각국의 정부가 GDP를 계산할 때 이용하고 있는 생산액, 중간재 투입액, 유통마진 등과 같은 원(原)자료를 과거로 거슬러 올라가면서 수집하고, 수집된 자료를 근거로 오늘날 국민소득을 계산하는 방식과 동일한 방법으로 GDP를 계산해내는 것이다.

이러한 작업을 최초로 체계적으로 수행한 이가 바로 미국의 경제학자 사이먼 쿠즈네츠이다. 『경제성장에 관한 6개의 강의(Six Lectures on Economic Growth)』[1]나 『근대 경제성장의 분석(Modern Economic Growth: Study in Comparative Economics)』[2] 등에 잘 정리되어 있는 그의 연구업적 덕분에 우리는 19세기 이후 주요국들의 경제성장을 정량적으로 파악할 수 있게

세계경제의 최장기 성장: 실수

연도	인구(100만)	GDP(1990년: 10억 달러)	1인당 GDP(1990년: 달러)
1500	425	240	565
1850	1,068	685	651
1992	5,441	27,995	5,145

세계경제의 최장기 성장: 성장률

(단위: % / 년)

연도	인구	GDP	1인당 GDP
1500~1820	0.29	0.33	0.04
1820~1992	0.95	2.17	1.21

자료: アンガス·マディソン(金森久雄監譯), 『世界經濟の成長史-1820~1992年』, 東洋
經濟 新報社, 2000, p. 6.

되었다. GDP의 장기추계 작업은 그 후에 앙구스 매디슨(Maddison, A.)
등에 의해 계승되어, 오늘날에는 매디슨의 장기추계가 경제학 연구자들에
게 널리 이용되고 있다. 덧붙여 매디슨이 구축한 데이터베이스에서 일본
과 관련된 부분은 오카와 가즈시(大川一司)를 중심으로 하는 히토쓰바시
대학의 연구팀이 추계한 것이다.

표 2-1은 매디슨이 16세기부터 추계한 **최장기의 경제성장***을 나타낸
데이터이다.[3] 첫 번째로 주목할 만한 것은 세계경제가 16세기부터 계속해
서 성장을 해왔다는 점이다. 두 번째로는 그렇지만 그 성장률은 시기별로
큰 차이를 보인다는 점이다. 1500년에서 1820년까지 1인당 GDP의 성장
률은 연평균 0.04%에 지나지 않았다. 이것은 1인당 GDP가 2배가 되기까

---

* 원저에서는 '**超長期の經濟成長**'이라고 표현되어 있다(역자 주).

지 1700년 이상의 시간이 걸릴 정도로 성장률이 지극히 낮았다는 것을 의미한다.

가령 사람의 인생을 60년이라고 한다면, 그 사이에 1인당 GDP가 겨우 2.4%밖에 증가하지 않았다고 할 수 있다. 틀림없이 당시의 사람들은 시간이 지남에 따라 점차적으로 생활수준이 개선되어간다는 것을 전혀 실감할 수 없었을 것이다. 경제성장의 관점에서 보면, 19세기 초까지의 세계경제는 정체기에 있었다고 말할 수 있다. 이에 비해 1820년 이후에는 1인당 GDP의 성장률이 매년 1.21%씩 상승하고 있다. 이러한 비율을 유지한 채 지속적인 성장을 거듭한다면, 60년간 1인당 GDP는 2.06배 늘어나게 된다. 이 정도의 성장률이라면 아마도 당시의 사람들은 소득수준의 향상을 실감할 수 있었을 것이다.

2) 지역 간 소득격차의 장기동향

1820년 이후에는 각국별로 GDP의 추계가 이용가능하다. **표 2-2**는 각국별로 소득수준을 몇 개의 지역으로 묶어서 나타낸 것이다. 매디슨이 서유럽 분지(分枝)로 구분한 지역은 서유럽인들이 건너가 세운 나라들, 즉 미국, 캐나다, 오스트레일리아, 뉴질랜드 4개국이다. 우리는 **표 2-2**에서 몇 가지 재미있는 사실을 발견할 수 있다.

우선 첫 번째로는 1820년의 시점에서 이미 상당한 정도의 지역 간 소득격차가 존재했다는 사실이다. 1인당 GDP는 서유럽이 가장 높았고, 그 수준은 가장 낮은 아프리카의 2.87배나 된다. 이러한 사실은 서유럽을 포함한 몇몇 지역에서 이미 1820년 이전부터 상당한 정도의 경제성장이

표 2-2 **지역 간 소득격차의 장기동향**

	인구(100만)		1인당 GDP(1990년: 달러)	
	1820년	1992년	1820년	1992년
서유럽	103	303	1,292	17,387
서유럽 분지	11	305	1,205	20,850
남유럽	34	123	804	8,287
동유럽	90	431	772	4,665
라틴 아메리카	20	462	679	4,820
아시아·오세아니아	736	3,163	550	3,252
아프리카	73	656	450	1,284
합계	1,068	5,441	651	5,145

자료: 표 2-1과 같은 책, p. 7.

이루어지고 있었다는 것을 시사한다.

두 번째로 지역 간 소득격차는 그 이후 1990년대에 이르기까지 약 170년
간 계속해서 확대되어왔다는 사실이다. 1992년에는 서유럽 분지 지역이
서유럽의 소득수준을 능가해 1인당 GDP가 최고 수준에 도달하게 된다.
그 수준은 (여전히 최하위 수준을 벗어나지 못하고 있는) 아프리카 지역에 비해
무려 16.24배에 달할 정도였다. 이러한 **소득격차의 원인**에 대해서는 경제
성장에 관한 이론을 설명한 뒤에 다시 한 번 살펴보기로 하자.

세 번째는 1820년의 서유럽과 서유럽 분지 지역의 1인당 GDP의 수준
이 정확히 1992년 아프리카의 소득수준과 일치한다는 사실이다. 제1장에
서 언급한 대로 지금의 선진국들도 19세기 초 무렵에는 오늘날의 개발도
상국들과 비슷한 소득수준에 있었던 것이다.

2. 신고전파의 성장이론

1) 로버트 솔로의 성장모형

앞서 살펴본 대로, 어떤 국가나 지역의 GDP 또는 1인당 GDP가 장기적으로 성장해가는 현상은 어떠한 메커니즘을 통해서 일어나는 것일까? 이것은 **경제성장이론**이라고 불리는 경제이론의 기본적인 문제의식이기도 하다. 경제성장이론의 연구는 애덤 스미스(Smith, A.; 1723~ 1750) 이후, 데이비드 리카도나 카를 마르크스를 포함한 많은 경제학자들이 공통적으로 고민해온 문제이다. 그중에서 오늘날 가장 널리 받아들여지고 있는 것은 1950년대에 로버트 솔로가 확립한 신고전파 성장이론과 그 이후에 등장한 다양한 이론들이다. 여기에서는 우선 경제성장을 이해하기 위한 기본적인 설명의 틀로 널리 받아들여지고 있는 솔로의 성장모형에 대해 자세히 살펴보자.[4]

솔로 모형의 기본이 되는 것은 다음과 같은 생산함수, 즉 생산요소 투입과 산출의 관계를 나타내는 함수이다.

┃ 수식 2.1 ┃　　$Y_t = F(K_t, L_t)$

Y_t는 생산량(GDP), K_t는 자본스톡, L_t는 노동력을 각각 나타낸다. 아래첨자 t는 시점 t에서의 값을 의미한다. 제1장에서 설명한 마르크스의 경우와 다르게 여기에서 자본은 재생산이 가능하고 내구성이 있는 물적 생산요소, 즉 기계나 설비를 의미한다. 생산함수 $Y_t = F(K_t, L_t)$의 성질로서는 규모에 대한 수확불변을 가정한다. 이러한 성질은 여기에서 고려

그림 2-1 생산함수

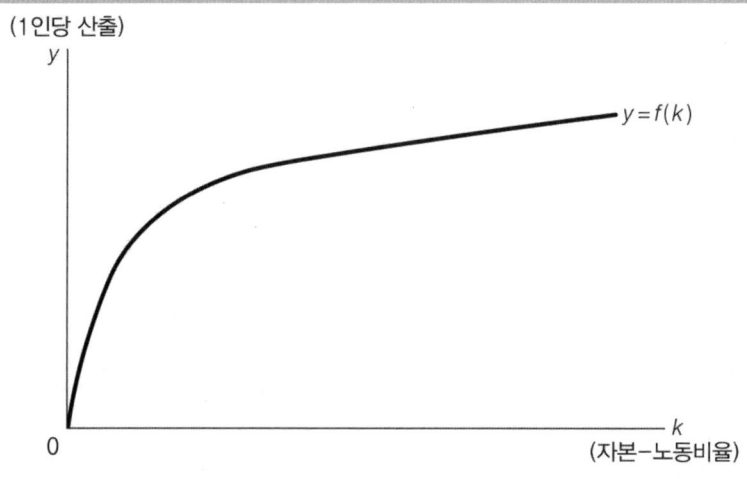

(1인당 산출)

y

y = f(k)

0

k

(자본-노동비율)

하고 있는 두 생산요소 K_t와 L_t를 각각 동시에 λ배만큼 증가시키면 생산량 Y_t도 똑같이 λ배만큼 증가한다는 것을 의미한다.

▌수식 2.2▐

$$F(\lambda K_t, \lambda L_t) = \lambda F(K_t, L_t)$$

이러한 가정을 사용하면 생산함수를 간단하게 표현할 수 있다. 즉, 수식 2.1에서 양변을 각각 $\dfrac{1}{L_t}$배만큼 곱해주면 다음과 같은 식이 된다.

▌수식 2.3▐

$$\frac{Y_t}{L_t} = F\left(\frac{K_t}{L_t}, 1\right)$$

여기에서 $\dfrac{Y_t}{L_t}$은 1인당 생산량 또는 노동생산성을 나타내고, $\dfrac{K_t}{L_t}$는 자본-노동의 비율이다. 이제 각각을 y_t, k_t라고 표현하면, 결국 생산함수는 이런 식으로 바꾸어 표현할 수 있다.

▌수식 2.4▐ $$y_t = f(k_t)$$

즉, 노동생산성이 자본-노동비율의 함수로써 표현된다. 이러한 함수는
통상적으로 그림 2-1과 같은 형태로 가정된다. 식으로 표현하면 다음과
같다.

▌수식 2.5▐ $$f'(k_t) > 0 \ , \ f''(k_t) < 0$$

즉, 노동생산성은 자본-노동비율이 높아질수록 상승하는 반면, 노동생
산성이 상승하는 형태는 자본-노동비율이 높아짐에 따라 완만해져 간다는
가정이다.

2) 솔로의 기본방정식

생산함수 $f(k_t)$ 가 주어지면, k_t 의 변화에 의해 y_t 의 변화가 결정된다.
그다음에는 시간의 경과에 따라 k_t 가 어떠한 식으로 변해갈지를 생각
해보자. 우선 $k_t = \dfrac{K_t}{L_t}$ 라는 식의 양변에 자연대수(ln)를 취한다.

▌수식 2.6▐ $$ln(k_t) = ln\left(\frac{Y_t}{L_t}\right) = ln(K_t) - ln(L_t)$$

그리고 이제 **수식 2.6**을 시간에 관해 미분하면 다음과 같다.

▌수식 2.7▐ $$\frac{\dot{k_t}}{k_t} = \frac{\dot{K_t}}{K_t} - \frac{\dot{L_t}}{L_t}$$

각각의 변수들 위에 찍힌 점은, 해당 변수의 시간에 대한 미분을 의미한다. 예를 들면, $\dot{k}_t = \dfrac{dk_t}{dt}$ 이다. **수식 2.7**을 도출할 때 로그함수의 미분법칙과 합성함수의 미분법칙을 사용하고 있다. 이해를 돕기 위해 로그함수의 미분법칙과 합성함수의 미분법칙을 간략하게 설명하면 다음과 같다.

로그함수의 미분법칙은 다음과 같다.

┃수식 2.8┃
$$\frac{dln(x)}{dx} = \frac{1}{x}$$

$z = G(X)$, $X = g(x)$라고 하면, 합성함수 미분법칙은 다음과 같다.

┃수식 2.9┃
$$\frac{dz}{dx} = \frac{dG(X)}{dX} \cdot \frac{dg(x)}{dx}$$

수식 2.7은 k_t의 증가율이 자본스톡의 증가율에서 노동력의 증가율(인구성장률)을 차감해준 것과 동일하다는 것을 나타내고 있다. 여기에서는 노동력의 증가율이 외생적으로 주어졌다고 가정하고 $\dfrac{\dot{L}_t}{L_t} = n$이라고 하자. 그렇게 하면 이제 자본스톡의 증가율만 고려해주면 된다. 자본스톡은 투자(I)에 의해 증가하며, 반대로 감가상각되는 만큼 줄어든다. 즉, 투자와 감가상각이 자본스톡의 변화를 결정하는 것이다. 감가상각은 매 기간 일정한 비율인 δ만큼 발생한다고 가정하자. 한편, 투자는 매 기간 산출된 부분 중에서 소비하지 않고 저축되는 부분으로 충당된다. 솔로 모형에서는 저축 S가 생산량에서 일정비율인 s만큼씩 이루어진다고 가정한다. 즉, $I_t = S_t = sY_t$이다. 이제 이것들을 이용해 자본스톡의 변화를 다음과 같이 표현해보자.

■ 수식 2.10 ■ $\qquad \dot{K_t} = s Y_t - \delta K_t$

그런 다음에 **수식 2.10**을 **수식 2.7**에 대입하면 다음과 같다.

■ 수식 2.11 ■
$$\frac{\dot{k_t}}{k_t} = \frac{s Y_t - \delta K_t}{K_t} - \frac{\dot{L_t}}{L_t}$$
$$= \frac{s Y_t}{K_t} - \delta - n$$
$$= \frac{s y_t}{k_t} - \delta - n$$

끝으로 양변에 k_t를 곱해주면, 다음과 같은 식을 얻을 수 있다.

■ 수식 2.12 ■ $\qquad \dot{k_t} = s y_t - (\delta + n) k_t$

이 식이 **솔로 모형의 기본방정식**이다. 좌변은 자본-노동비율의 매 기간 증가분이다. 우변의 첫 번째 항은 매 기간에 걸친 투자이고 이것이 자본-노동비율의 상승에 기여한다. 두 번째 항은 자본-노동비율의 저하에 기여하는 요인이다. 즉, 자본의 감가상각과 노동력의 증가는 자본-노동비율을 낮추는 방향으로 작용한다.

3) 안정 상태(steady-state)

솔로 모형의 장점은 이와 같은 아주 간단한 식을 통해서 경제성장의 프로세스를 묘사할 수 있다는 점에 있다. **수식 2.12**를 도시해보면, 그림 2-2와 같다. 이 그림에서는 **수식 2.12**의 우변에서 첫 번째 항과 두 번째 항이 각각의 그래프로 표현되어 있다. 두 그래프의 교차점에서 수식 2.12의 값은 제로가 된다. 이것은 그 점(교차점)에서 $\dot{k}_t$가 0, 즉 k_t가 증가하지도 감소하지도 않는다는 것을 의미한다. 이러한 교차점에 대응하는 k_t를 k^*라고 표기하자.

이제 교차점보다 좌측의 영역에서는 어떤 일이 벌어질까? 여기에서는 k_t의 증가요인이 감소요인을 능가하고 있다. 따라서 $\dot{k}_t > 0$이고, k_t는 시간이 지나면서 차츰 상승한다. 반면 교차점의 우측 영역에서는 k_t의 감소요인이 증가요인을 능가하고 있으므로 $\dot{k}_t < 0$이다. 따라서 k_t는 시간이 지나면서 저하한다. 결국, 어떤 시점에서 k_t가 어디에 있든지 간에 최종적으로는 k^*에 수렴한다는 것을 알 수 있다. 이렇듯 k_t가 일정한 상태를 안정 상태라고 부른다.

안정 상태에 있는 경제는 어떠한 움직임을 보이게 될까? 안정 상태에서는 k_t가 k^*에서 일정하므로 1인당 생산량 y_t도 $f(k^*)$에서 일정하게 된다. 한편, 노동력은 n의 비율로 성장하는 것을 가정했으므로, $Y_t = y_t L_t$는 동일하게 n의 비율로 성장한다. 수식 2.7에서 묘사되고 있는 경제는 안정 상태에서 1인당 생산 y_t가 일정하고 총생산 Y_t가 노동력과 동일한 속도로 성장하는 경제인 것이다.

4) 기술진보의 도입

눈치 빠른 독자들은 이쯤에서 어딘가 이상한 점을 발견했을 것이다. 즉, 안정 상태에서 1인당 GDP가 일정하다는 경제적 함의와 앞서 살펴본 경제성장의 경험적 데이터 사이에는 엄청난 괴리가 존재한다. 수백 년간, 특히 19세기 초부터 전 세계적으로 1인당 GDP는 장기에 걸쳐 계속해서

그림 2-2 안정 상태의 결정

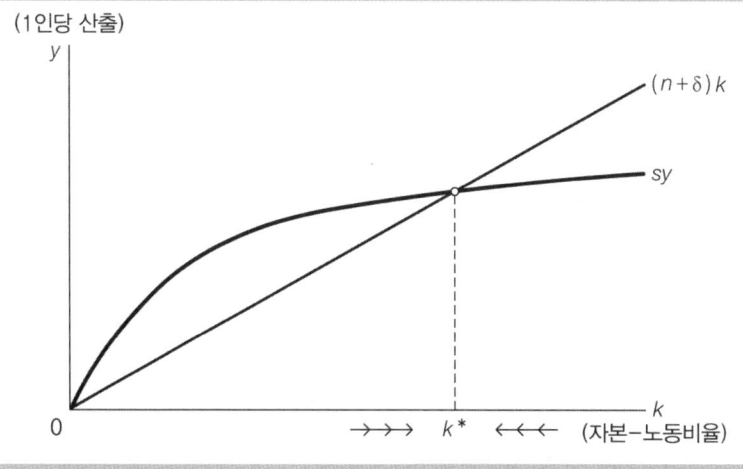

성장해왔기 때문이다. **수식 2.12**에서 본 솔로 모형의 기본방정식과 이러한 현실 사이에 존재하는 괴리를 메울 수 있는 것이 바로 **기술진보**이다. 다행스럽게도 **수식 2.12**의 모형은 손쉽게 기술진보를 포함하는 모형으로 확장할 수 있다. 일단 기술진보를 포함시키기 위해 노동력을 사람의 숫자가 아닌 **효율단위**로 측정하자. A_t를 노동력의 효율성을 나타내는 변수로 놓으면, 효율단위로서 측정한 노동력은 $A_t L_t$와 같이 표현할 수 있고, 생산함수는 $Y_t = F(K_t, A_t L_t)$처럼 바뀐다. 여기에 양변을 L_t 대신에 $A_t L_t$로 나누면 다음과 같은 식을 얻을 수 있다.

▌수식 2.13 ▌
$$\frac{Y_t}{A_t L_t} = F\left(\frac{K_t}{A_t L_t}, \ 1\right)$$

식이 복잡해지는 것을 막기 위해서 동일한 기호를 사용해 $\dfrac{Y_t}{A_t L_t} = y_t$,

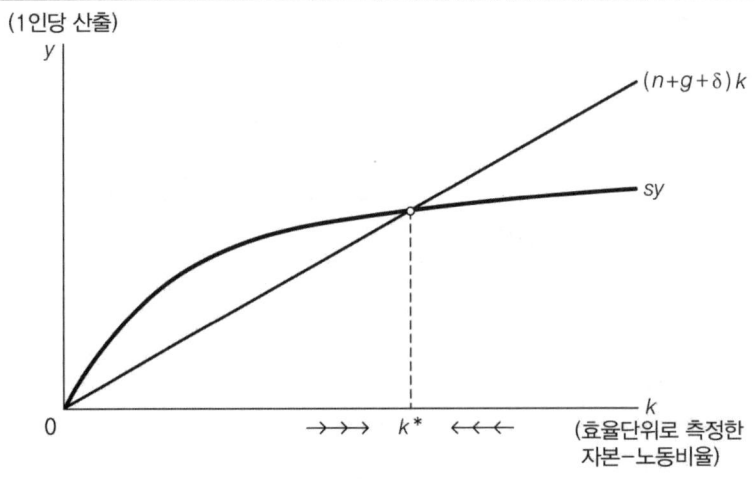

그림 2-3 안정 상태의 결정(기술진보를 포함한 모형)

(1인당 산출)

$(n+g+\delta)k$

sy

k^*

(효율단위로 측정한
자본-노동비율)

주: $k = \dfrac{K}{AL}$

$\dfrac{K_t}{A_tL_t} = k_t$와 같이 표현하기로 약속하면, 생산함수는 앞서 살펴본 바와 동일하게 $y_t = f(k_t)$처럼 표현할 수 있다. 이후의 계산과정도 마찬가지로 동일하다.

▮ 수식 2.14 ▮

$$\frac{\dot{k}_t}{k_t} = \frac{sY_t - \delta K_t}{K_t} - \frac{\dot{A}_t}{A_t} - \frac{\dot{L}_t}{L_t}$$
$$= \frac{sy_t}{k_t} - \delta - n - \frac{\dot{A}_t}{A_t}$$

$\dfrac{\dot{A}_t}{A_t}$은 노동력 효율성의 상승률이므로, 이것은 **기술진보율**이라고도 할 수 있다. 기술진보율을 g라고 표현하면, 결국 **수식 2.12**에 대응하는 기본방정식은 다음과 같이 바뀐다.

▌수식 2.15 ▌ $$\dot{k_t} = sy_t - (n + g + \delta)k_t$$

이 식을 도시해보면 **그림 2-3**과 같다. **그림 2-2**의 경우와 마찬가지로 두 그래프의 교차점 k^* 에서 이 경제는 안정 상태가 된다. 즉, 교차점에서의 k_t 는 일정하고 k_t 가 그보다 좌측에 있으면 k^* 를 향해서 상승하게 되고, 반대로 우측에 있으면 k^* 를 향해서 감소하게 된다.

k^* 에서는 k_t 가 일정하기 때문에 y_t 도 일정하게 된다. 그러나 기술진보를 고려하지 않았던 앞에서의 경우와는 달리 이번에는 $y_t = \dfrac{Y_t}{A_t L_t}$ 이므로, 노동자 1인당 생산 $\dfrac{Y_t}{L_t}$ 은 안정 상태에서 A_t 의 성장률 g로 성장하게 된다. 바꿔 말하면, **수식 2.15**에서 표현된 모형에서는 안정 상태에서의 노동자 1인당 생산의 성장률이 기술진보율과 정확히 일치한다. 따라서 생산 Y_t 의 성장률은 기술진보율과 인구성장률의 합에 해당하는 $g + n$ 이 된다.

3. 이론과 현실

1) 인적자본의 도입

솔로 모형의 장점은 간단한 모델을 이용해서 경제성장을 훌륭하게 묘사해낼 수 있다는 것뿐만 아니라 실증적으로 테스트가 가능한 경제적 함의들을 도출해낼 수도 있다는 것에 있다. 이러한 점에 착안해서 실증연구를 실시한 이들이 그레고리 맨큐(Mankiw, N. G.), 데이비드 로머(Romer, D.), 데이비드 웨일(Weil, D. N.)이라는 세 명의 경제학자들이다. 그들은 솔로 모형에서 1인당 생산에 대한 경제적 함의를 이끌어내고, 그러한 경제적 함의에 대해서 국가별로 **크로스섹션 데이터**를 이용해 테스트를 실시했다.[5]

모형을 실증분석에 응용하기 위해서는 먼저 생산함수를 다음과 같이 특정화(特定化)시킬 필요가 있다.

▌수식 2.16▌
$$Y_t = K_t^\alpha (A_t L_t)^{1-\alpha}$$

이것을 이용해서 **수식 2.15**를 수정하면 다음과 같다.

▌수식 2.17▌
$$\dot{k_t} = s k_t^\alpha - (n + g + \delta) k_t$$

수식 2.17에서 안정 상태에 있는 k_t, 즉 k^*의 값을 구할 수 있다. k^*는 다음과 같다.

▌수식 2.18▌
$$k^* = \left(\frac{s}{n + g + \delta} \right)^{\frac{1}{1-\alpha}}$$

이것을 생산함수 **수식 2.16**에 대입하고 로그를 취하면 안정 상태에서 1인당 GDP의 수준을 나타내는 식을 다음과 같이 얻을 수 있다.

▌수식 2.19▌
$$ln \left(\frac{Y_t}{L_t} \right) = lnA_0 + gt + \left(\frac{\alpha}{1-\alpha} \right) ln(s)$$
$$- \left(\frac{\alpha}{1-\alpha} \right) (n + g + \delta)$$

맨큐 등은 모델을 좀 더 현실적으로 구성하기 위해 솔로 모형을 약간 확장시켰다. 솔로 모형은 자본으로서 물적자본만을 고려하고 있었지만, 물적자본과 나란히 인적자본을 모델에 도입시킨 것이다. 이 경우 인적자본 스톡을 H_t로 해서 생산함수는 다음과 같이 표현할 수 있다.

■ 수식 2.20 ■ $$Y_t = K_t^\alpha H_t^\beta (A_t L_t)^{1-\alpha-\beta}$$

물적자본의 투자율과 인적자본의 투자율을 각각 s_k, s_h로 구분해보면 인적자본을 포함하지 않은 모형의 **수식 2.16**과 비교해서 다음과 같이 변형된 식을 얻을 수 있다.

■ 수식 2.21 ■ $$\dot{k}_t = s_k k_t^\alpha h_t^\beta - (n+g+\delta)k_t$$

■ 수식 2.22 ■ $$\dot{h}_t = s_h k_t^\alpha h_t^\beta - (n+g+\delta)h_t$$

위 식에서 h_t는 $\dfrac{H_t}{A_t L_t}$이다. 그리고 이러한 두 식에서 안정 상태의 k_t와 h_t를 다음과 같이 구할 수 있다.

■ 수식 2.23 ■ $$k^* = \left(\frac{s_k^{1-\beta} s_h^\beta}{n+g+\delta} \right)^{\frac{1}{1-\alpha-\beta}}$$

■ 수식 2.24 ■ $$h^* = \left(\frac{s_k^{1-\alpha} s_h^\alpha}{n+g+\delta} \right)^{\frac{1}{1-\alpha-\beta}}$$

이것을 생산함수 **수식 2.20**에 대입하여 로그를 취하면, **수식 2.19**에 대응하는 다음과 같은 식을 얻을 수 있다.

■ 수식 2.25 ■
$$ln\left(\frac{Y_t}{L_t} \right) = lnA_0 + gt - \left(\frac{\alpha+\beta}{1-\alpha-\beta} \right) ln(n+g+\delta)$$
$$+ \left(\frac{\alpha}{1-\alpha-\beta} \right) ln(s_k) + \left(\frac{\beta}{1-\alpha-\beta} \right) ln(s_h)$$

2) 실증분석과 남겨진 과제

수식 2.25는 인적자본을 도입한 솔로 모형에서 도출된 안정 상태에 있는 1인당 GDP의 결정요인을 나타내고 있다. 우변의 첫 번째 항과 두 번째 항을 별도로 놓으면, 결정요인은 인구성장률, 기술진보율, 감가상각률의 합계에 로그를 취한 $ln(n+g+\delta)$, 물적자본의 투자율에 로그를 취한 $ln(s_k)$, 인적자본의 투자율에 로그를 취한 $ln(s_h)$와 같이 세 가지이다. 맨큐 등은 1985년의 크로스섹션 데이터〔비(非)산유국 98개국〕를 이용해서, 각국의 생산연령인구의 1인당 GDP값을 구한 다음에 상술한 세 가지 요인으로 회귀분석을 실시했다. 수식 2.25에서 우변의 첫 번째 항과 두 번째 항은 오차항에 해당한다. s_k는 1960년부터 1985년까지의 물적자본투자/GDP, s_h는 1960년부터 1985년까지의 중등교육취학자/생산연령인구로 계산했다. $g+\delta$의 값은 모든 나라가 동일하게 0.05라고 가정했다. 회귀분석의 결과는 표 2-3과 같다.

표 2-3을 보면,

$$1인당\ GDP = 6.89 + 0.69ln(s_k) - 1.73ln(n+g+\delta) + 0.66ln(s_h) + e$$

라는 것을 알 수 있다. 여기서 e는 잔차항이다. 괄호 안의 숫자는 추정치의 표준오차로서, 추정치가 각 계수의 실제 값의 근처에서 어느 정도 흩어져 있는가를 나타내고 있다. 이 값이 추정된 계수의 절대치에 비해 큰 경우, 예를 들면 추정된 계수의 값이 정(+)이더라도, 계수의 실제값이 0이거나 부(-)일 확률을 무시할 수는 없다는 뜻이다. adR^2은 자유도 수정을 거친 결정계수를 말한다. 결정계수는 피설명변수의 전체 변동에서 회귀식으로

표 2-3 **국가의 풍요로움과 신고전파 성장모형**

피설명변수: 생산연령인구 1인당 GDP(1985년)		
상수항	6.89	(1.17)
$\ln(s_k)$	0.69	(0.13)
$\ln(n+g+\delta)$	-1.73	(0.41)
$\ln(s_h)$	0.66	(0.07)
adR^2	0.78	
관측수	98	

주: ( ) 안의 수치는 표준오차.
자료: Gregory Mankiw, David Romer and David Weil, "A Contribution to the Empirics of Economic Growth," *The Quarterly Journal of Economics*, 107(2), 1992.

설명되는 부분의 비율로서, 회귀식의 적합도를 판단하는 지표가 된다. 설명변수의 수를 늘리면 늘릴수록 이 값은 상승하므로, 그 영향을 감안해서 만든 지표가 바로 자유도 수정을 거친 결정계수이다.

추정된 계수는 전부 통계적으로 유의하고, 계수의 부호도 예상을 빗나가지 않았다. 즉 물적자본에 대한 투자율이 높은 국가일수록, 인구성장률이 낮은 국가일수록, 인적자본에 대한 투자율이 큰 국가일수록 1인당 GDP가 높다는 상관관계가 성립한다. 또 한 가지는 adR^2의 값이 상당히 높다는 사실에 주목할 필요가 있다. adR^2의 수치가 0.78이라는 것은, 인적자본을 도입해서 확장시킨 솔로 모형에 의해, 1인당 GDP가 국가별로 상당한 차이를 보이는 이유를 약 80%까지 설명할 수 있다는 것을 의미한다.

지금까지 살펴본 바와 같이, 신고전파 경제성장이론에 근거한 모형을 이용하면 각 나라가 처해 있는 경제적 상황, 즉 풍요로움 내지 빈곤함의 이유를 상당한 정도까지 설명할 수 있었다. 그러나 이것으로 경제발전에서 설명해야 할 모든 문제가 해결된 것은 아니다. 위의 실증분석에서는 성장모형의 기본적인 파라미터들이 **이미 주어진 여건**으로 전제되어 있기 때문이다. s_k, s_h 가 국가 간의 풍요로움과 빈곤함의 차이를 가져오는 결정적인 기능을 한다는 사실은 잘 알게 되었지만, s_k, s_h 자체는 어떻게 해서 결정되는 것일까? 그리고 adR^2의 값 0.78이 높은 수치임에는 틀림없지만, 반대로 나머지 22%는 여전히 설명하지 못하고 있다는 점도 부인할 수 없다. 나머지 22%는 $lnA_0 + gt$로 표현되는 잔차항으로 설명할 수 있다. 즉, 초기시점의 기술수준, 기술진보율, 기술진보의 지속기간 등이 국가별로 상이하다는 뜻이다. 그렇다면 이러한 $lnA_0 + gt$는 국가에 따라서 얼마만큼 다르며, 만약 다르다고 한다면 그 이유는 무엇일까? 개발경제학이나 경제사 연구자들은 지금도 이러한 문제들과 씨름하고 있다. 그리고 앞으로 이 책의 각 장에서 등장하게 될 주제들은 모두 이러한 문제와 밀접하게 관련을 맺고 있다. 그렇기 때문에, 각 나라와 지역의 1인당 GDP나 그 성장률을 피설명변수로 하고, 각 장의 대상에 관련된 변수를 설명변수로 하면서 반복해서 회귀분석을 실시하게 될 것이다.

❶ 김낙년 엮음, 『한국의 경제성장 1910~1945』(서울대학교 출판부, 2006)
에서 제1부를 참조해서 역사통계의 추계방법에 대해 설명해보자.

❷ 나단 로젠버그(Rosenberg, Nathan)와 L. E. 버드젤(Birdzell, L. E.)의 *How
the West Grew Rich: The Economic Transformation of the Industrial
World* (New York: Basic Books, 1986)에서 제8장을 읽고 기술진보의 원
천에 대해 생각해보자.

❸ 인구성장률 n이 높은 국가와 낮은 국가, 저축률 s가 높은 국가와 낮은
국가를 각각 비교해볼 때, 안정 상태에서의 1인당 GDP는 어느 쪽이 더
클까? 솔로 모형을 이용해서 답해보자.

❹ 어떤 이유로 인해서 자본과 노동의 비율이 정상 상태의 k^*보다 작은 값을
가지는 경제를 생각해보자. 이때 1인당 GDP의 성장률은 어떻게 될까?

❺ 모든 경제적 거래에는 거래비용이라는 비용이 수반되기 마련이다. 그런데
제도는 이러한 거래비용을 결정하는 중요한 키를 쥐고 있다. 만일 솔로
모형에 이러한 제도적 문제를 고려한다면 어떤 형태로 반영될 수 있을까?

경제성장이론이 모든 경제가 동일한 메커니즘에 의해 지속적으로 확대되어 가는 프로세스를 다루는 것이라면, 경제발전의 메커니즘 그 자체의 시간적 변화나 국가 간의 차이점에 초점을 맞추는 접근방식도 있다. 그중 한 가지가 경제발전단계론이다. 카를 마르크스의 경제이론은 이러한 경제발전단계론을 뒷받침하는 강력한 이론적 틀을 제공했다. 그러나 경제발전단계론은 다음과 같은 문제점이 지적되었다. 먼저 특정한 시기와 특정한 지역에서만 그러한 경제적 발전 단계가 관찰된다는 점, 그리고 각각 '단계'가 다른 지역 간에 상호작용이 존재한다는 점을 시야에 넣지 않았다는 점 등이다.

전자는 막스 베버(Weber, Max)가 종교사회학의 입장에서 제기한 문제이고, 후자는 알렉산더 거셴크론(Gerschenkron, Alexander)이 경제적 후진성 가설을 통해 강조한 논점이다. 거셴크론의 가설은 제도·조직의 중요성에 착안한 것으로, 더글러스 노스 등으로부터 시작된 제도경제사와도 연결된다.

제3장

경제의
역사적 발전에 관한
다양한 시각

키워드

경제발전단계론, 자본의 본원적 축적, 종교사회학,
경제적 후진성

1. 경제발전단계론

1) '생산양식'의 발전단계

제2장에서 설명한 경제성장이론은 경제가 동일한 메커니즘을 통해 연속적으로 확대되어가는 과정을 분석한 것이었다. 이와 비교해서 마찬가지로 경제의 시간적 변화를 대상으로 하면서도 그 구조나 작용하는 메커니즘 자체가 시간의 경과와 동시에 **단계적**으로 변화해간다고 보는 시각이 있다. 여기에서 '단계적'이라는 것은 변화가 불연속적, 즉 말 그대로 계단의 형태로 발생한다는 뜻이다. 이러한 시각을 **경제발전단계론**이라고 한다. 경제발전단계론은 19세기 독일에서 유력한 지위를 차지하며 역사학파(歷史學派)라고 불리던 일련의 경제학자들이 강조한 시각이다. 그리고 경제발전단계론은 마찬가지로 19세기에 독일에서 태어난 카를 마르크스에 의해 계승되었다.

마르크스는『경제학비판』이라고 불리는『자본론』의 초고를 통해 서론 부분에서 인류의 역사 전체를 포괄하는 다음과 같은 발전단계론을 제창했다.[1] 그는 유사(有史) 이전부터 그가 살고 있던 19세기까지 경제가 아시아적·고전고대적·봉건적·자본주의적이라는 네 가지 **'생산양식'**을 통과해왔다고 생각했다. 생산양식은 마르크스의 역사이론에서 중요한 열쇠가 되는 개념의 하나로서 다음과 같은 의미로 사용되었다. 마르크스는 경제 발전의 원동력을 **'생산력'**의 **상승**이라고 보았다. 생산력은 기술이 결정하는 생산성 또는 간단하게 기술수준이라고 생각해도 좋다. 기본적으로 마르크스는 특정한 범위의 생산력에 대해서는 특정한 '생산관계'가 대응한다는 생각의 틀을 갖고 있었다. 생산관계란 생산을 할 때 사람들 간에 맺고 있는 사회적 관계를 가리킨다. 그리고 생산력과 그것에 대응하는 생산관계의 조합을 마르크스는 **생산양식**이라고 불렀다.

이러한 개념을 사용해서 마르크스는 다음과 같은 역사이론을 주장했다. 어떤 하나의 생산관계가 지배적인 경제에서 생산력이 일정한 범위 내에 있을 동안에는 그 생산관계가 생산력의 상승을 뒷받침한다. 그러나 생산력이 상승해서 어떤 범위를 넘어서면 반대로 기존 생산관계가 생산력 상승을 방해하게 된다. 그리고 이러한 생산력과 생산관계의 마찰(摩擦) 내지 상극(相剋)이 어떤 임계점(臨界点)을 넘어설 때, 기존 생산관계는 파괴되고 그다음 생산관계로 이행한다. 달리 말하면 기존 생산력과 생산관계의 조합에서 새로운 생산력과 생산관계의 조합으로, 즉 기존 생산양식에서 그다음 생산양식으로 이행하는 것이다. 마르크스는 한 걸음 더 나아가 생산양식으로 표현되는 경제적 관계, 즉 '하부구조'가 정치·종교·사회와 같은 사회의 '상부구조'를 결정한다고 하는 이른바 '유물사관'을 제창했다.

이러한 마르크스의 역사이론은 사회주의 운동의 기초로서 강한 정치적 영향력을 행사했을 뿐만 아니라 사회·인문과학의 여러 분야에 걸쳐 커다란 영향을 끼쳐왔다. 특히 제3단계인 봉건적 생산양식(봉건제)에서 그다음 단계인 자본주의로 이행하는 과정은 많은 경제사학자들의 관심을 끌기에 충분했다. 여기에서 그 이행과정에 관한 마르크스의 설명을 좀 더 상세하게 살펴보자.

2) '자본의 본원적 축적'

마르크스는 봉건제 사회에서 자본주의 사회로 이행하는 과정에서 발생하는 사건을 '**자본의 본원적**(本源的) **축적**'이라고 해서, 『자본론』에서 하나의 장(제1권, 24장)을 할애해 설명하고 있다.[2] 제1장에서도 살펴보았듯이, 마르크스는 자본주의의 전제조건을 '생산수단'(생산을 하기 위한 토지, 설비, 기계)을 가지고 있지 않는 **노동자**와 생산수단을 가지고 있는 **자본가**라는 두 종류의 집단이 한 사회에 공존하는 것이라고 보았다. 그리고 일단 이러한 전제조건이 만족되면, 그는 자본주의가 작동하여 그 전제조건이 재생산된다고 생각했다.

노동자가 보수로 받는 임금으로는 생산수단을 구입할 수 있을 정도의 자금을 축적하기가 힘들기 때문에 노동자는 계속해서 노동자일 수밖에 없다. 한편 자본가는 이윤을 가지고 그것을 다시금 자본으로 투자하게 된다. 그러나 역사상 자본주의가 생성되기 시작한 출발점에서는 외부로부터 상기의 전제조건이 주어질 필요가 있었고, 자본의 본원적 축적이 그것을 제공했다는 것이 마르크스의 주장이다.

마르크스가 말하는 자본의 본원적 축적의 핵심은, 토지를 점유하고 농업에 종사하던 사람들이 기본적인 생산수단이었던 토지로부터 분리되어 고용노동으로 생계를 꾸려나가는 노동자로 전환되는 것이다.

15세기 말까지 영국의 농촌사회는 다수의 소규모 자영농민으로 구성되어 있었다. 그들은 영주로부터 토지를 빌리거나, 관습적으로 농촌 공동체가 관리하고 있는 공유지를 이용해서 농업생산을 행하고 있었다. 이러한 상태에 변화를 가져온 것은 양모(羊毛) 공업의 발달이었다. 양모 공업의 확대는 원료가 되는 양모의 가격을 폭등시켰다. 그리고 목양업(牧羊業)의 수익률이 치솟았기 때문에 자영농민에게 토지를 임대했던 영주들은 빌려주었던 토지를 회수하고, 공동으로 경작되어오던 토지도 전부 울타리나 담장을 쳐서 사유화하기 시작했다. 이른바 **인클로저 운동**이다. 18세기까지 계속된 인클로저의 결과로 다수의 자영농민은 경작하던 토지를 상실했고, 고용관계 속으로 들어가는 것 이외에는 생계를 꾸려나갈 길이 사라져버리고 말았다.

한걸음 더 나아가 마르크스는 이것만으로는 자본주의가 성립하기 위한 충분조건이 될 수 없다고 말한다. 자영농민으로서 행하는 노동과 노동자가 공장에서 행하는 노동은 큰 차이가 있기 때문이다. 마르크스는 공장의 규율 아래 질서 있게 공동작업에 종사할 수 있는 능력을 자영농민 출신의 많은 사람들이 익힐 수 있도록 하기 위해 국가가 다양한 방법으로 강제를 행사했다는 점을 본원적 축적의 중요한 요소로서 언급하고 있다.

3) 마르크스 이론의 한계

마르크스 이론은 생산력의 상승을 원동력으로 하는 생산양식 간의 이행이라는 일관된 시점에서 복잡하고 다양하게 변화해가는 경제현상의 역사를 비교적 명쾌하게 이해할 수 있는 틀을 제공했다. 그런 점에서 지금껏 수많은 연구자들이 마르크스 이론의 연구에 매달려왔다는 것도 충분히 납득할 만하다. 그러나 마르크스의 이론은 경제사를 이해하는 데 본질적인 몇 가지 문제에 대해 해답을 제시하지 못한다.

첫째, 앞서 언급한 대로 마르크스의 이론에서는 경제발전의 원동력이 생산력의 상승에 있다고 하지만, 생산력의 상승이 왜, 어떻게 해서 발생하는지에 대해서는 설명하지 못한다. 바꿔 말하면, 마르크스의 이론에서는 신고전파 성장이론과 마찬가지로 기술진보가 **외생적**으로 주어진다고 가정하고 있다. 예를 들면, 봉건제 사회에서 자본주의 사회로 이행할 때, 『자본론』에서는 인클로저의 원인이 되었던 양모 공업이 왜 발달하게 되었는지에 대해서 명시적으로 설명하고 있지 않다. 게다가 마르크스 자신이 언급했듯이 인클로저의 직접적인 원인이 양모 가격의 폭등에 있다면 이미 그 시점에서 시장 메커니즘은 기능하고 있었다는 뜻이 된다. 그런데 이러한 시장 메커니즘이 기능하고 있었다는 사실 그 자체가 정작 설명이 필요한 중요한 내용인 것이다.

둘째, 좀 더 일반적인 문제점이 있다. 마르크스는 경제발전을 보편적인 **'법칙'**으로 생각하고 있었다. 마르크스의 이론에서는 어떠한 지역, 어떠한 사회에서도 시간이 경과하면서 생산력이 상승하게 되고, 그에 따라 생산양식 간의 이행도 자동적으로 발생하게 된다. 그러므로 특정한 지역에서 특정한 시기에 특정한 생산양식이 지배적인 것이 되는 이유가 무엇인가 하는 문제는 처음부터 마르크스의 시야 속에 들어 있지 않았던 것이다.

2. 종교와 경제발전

1) 막스 베버의 종교사회학

마르크스가 관심을 두지 않았던 문제, 즉 왜 특정한 지역에서 특정한 시기에 현저한 경제발전이 발생했던 것일까 하는 문제를 정면으로 부딪쳐서 해결하려고 했던 고전적인 연구로는 막스 베버(1864~1920년)의 종교사회학이 있다. 20세기 초에 베버는 근대 서유럽에서 다른 지역보다 한발 앞서 자본주의적인 경제발전이 발생했다는 사실에 착안하여 그 이유에 관한 독자적인 가설을 세웠다.

베버는 그의 주요한 논문을 엮은『종교사회학논집』의 서언(序言)에서 "도대체 어떠한 사정이 있었기에, 다른 지역도 아닌 서양에서, 그리고 그 지역에서만 보편적인 의의와 타당성을 지니는 발전경향이 보였으며 …… 문화적인 제 현상이 모습을 나타내게 된 것일까?"라는 화두를 던졌다.[3] 베버는 서유럽에 기원을 두고 있는 '문화적 제 현상'으로서 과학, 화성(和聲)음악, 돔(dome)의 건축 등과 같은 예를 들었다. 그러나 그중에서도 그가 가장 깊은 관심을 보였던 것은 자본주의이고, 앞서 언급한 서언에 이어 장문의 논문 한 편을 통해 서유럽에서 자본주의가 발전한 이유를 추적했다. 그 논문이 바로 나중에 독립된 저서로서 이미 세계 각국에도 번역판이 나와 있는『프로테스탄티즘 윤리와 자본주의 정신(Die protestantische Ethik und der Geist des Kapitalismus)』[4]이다.

2) 프로테스탄티즘 윤리와 자본주의 정신

『프로테스탄티즘 윤리와 자본주의 정신』의 모두(冒頭)에서 베버는 유럽의 직업 통계를 관찰하고 있다. 그는 근대적 기업의 소유자, 경영자, 상급 숙련노동자 등에서 프로테스탄트의 비율이 전체인구 대비 프로테스탄트의 비율보다 높다는 사실에 주목했다. 그러한 관찰로부터 베버는 ① 역사적으로 보면 프로테스탄트들은 비교적 부유한 편에 속하고 부유함은 그들이 경쟁에서 유리한 지위를 확보할 수 있도록 했다, ② 종교적으로 소수파였던 프로테스탄트는 정치적인 입지가 좁았기 때문에 경제활동에만 노력을 집중할 수 있었다, ③ 프로테스탄트는 내면에 경제적이고 합리적인 특질을 가지고 있다고 하는 대체가능한 세 가지 가설을 도출해냈다. 그런 다음에 몇 개의 데이터와 추론을 기반으로 해서 ①과 ②의 가설을 기각하고, ③의 가설에 대해 더욱 깊이 있는 연구를 시작했다.

③의 가설을 좀 더 구체적으로 살펴보면 다음과 같다. 칼뱅파 프로테스탄트는 교리를 기반으로 해서 내세에서 구원된다는 확신을 얻기 위해 현세에서 행하는 직업노동에 금욕적·합리적으로 임해야 한다는 생활태도를 취한다. 그리고 이러한 것들이 이른바 의도하지 않는 결과로서 그들에게 경제적인 성공을 가져다주었다는 것이다. 베버의 말을 인용하면, "근대 자본주의의 정신, 아니 그것만이 아니라 근대 문화의 본질적인 구성요소의 하나라고도 말할 수 있는, 천직 이념을 토대로 한 합리적인 생활태도는 …… 크리스트교적인 금욕의 정신에서 탄생한 것이다."

최초에 제기했던 문제로 돌아가서 보면, 결국 베버의 가설은 16세기에 일어난 종교혁명과 그것으로 생겨난 칼뱅파 프로테스탄트의 **경제윤리**가 근대 서유럽이라는 특정한 시기 및 지역에서 자본주의를 기반으로 한 경제발전을 가져왔다는 말이 된다. 베버의 사회윤리는 문제설정의 방법이 마르크스와는 전혀 다를 뿐만 아니라 종교와 경제 간의 관계를 파악하는 방식에서도 큰 차이를 보였다. 아주 간단하게 정리해보면, 마르크스는 경제가 종교를 결정한다고 보는 데 비해 베버는 (자본주의의 형성에 관해서만큼은) 프로테스탄티즘이라는 종교가 경제에 영향을 미쳤다고 보는 것이다.

데이터의 관찰로부터 대체가능한 가설들을 이끌어내고, 그것들을 다른 사실들과 대조하면서 검증해가는 식으로 논의를 진행시키는 베버의 방법은 오늘날에도 충분히 배울 만한 가치가 있다. 한 가지 더 깊고 넘어갈 만한 것은 베버의 저서가 방대한 비교종교사회학 연구의 일부를 구성하고 있다는 점이다. 『종교사회학논집』에서 베버는 프로테스탄티즘에 이어서 유교, 도교, 힌두교, 불교, 고대 유대교 등의 경제이론을 탐구하고 있다. 이를 통해 베버는 프로테스탄티즘 이외의 종교에서는 자본주의가 발생하지 않는 이유를 밝히고자 했다.

풍부한 구상력(構想力)과 자기가 세운 구상에 따라 방대한 연구를 거듭해나가는 탐구심은 오늘날 우리에게도 감명 깊게 다가온다. 베버의 종교사회학 연구는 말 그대로 사회과학의 고전이라 불려도 전혀 손색이 없다. 그러나 그렇다고 해서 베버의 연구로 문제가 전부 해결되었다는 뜻은 아니다. 베버의 저작 이후, 그의 가설에 대해 다양한 검증이 이루어졌다. 아래에서는 그중 하나를 소개하고자 한다.

3) 베버 가설의 검증

베커(Becker, S. O.) 와 뵈스만(Woessmann, L.)은 2009년에 발표한 논문에서, 베버가 관찰한 것과 같은 19세기 독일의 데이터를 이용해 베버 가설의 검증을 시도했다.[5] 주로 사용된 자료는 1871년 프로이센의 인구통계조사에서 얻을 수 있는 종파별 인구 데이터였고, 구체적으로는 종파별 인구수가 각각 452개의 군(郡)별로 작성되어 있었다. 이를 보면 각 군에서 프로테스탄트 인구와 가톨릭 인구가 차지하는 비율은 평균적으로 각각 64.2%와

34.5%였다. 그러나 군마다 프로테스탄트와 가톨릭 인구의 비율이 큰 차이를 보였으며, 인구 비율의 표준편차는 각각 37.8%와 37.5%였다. 이렇게 군마다 다른 종파별 인구 비율을 이용하여 프로테스탄티즘에 관한 베버 가설을 통계적으로 검증한다는 것이 베커와 뵈스만의 아이디어였다.

이들의 논문에서 주목해야 할 점은, 프로테스탄티즘과 경제발전의 관계를 검증하는 데에서 신중하게 인과관계의 방향을 식별하고 있다는 것이다. 만약에 경제발전의 지표를 피설명변수(좌변의 변수)로, 프로테스탄티즘에 관한 변수를 설명변수(우변의 변수)로 놓고, 통상적인 최소자승법(OLS)으로 회귀분석을 실시해서, 그 결과 경제발전과 프로테스탄티즘 사이에 통계적으로 유의한 정(+)의 상관관계가 관찰되었다고 하자. 그러나 이를 통해 프로테스탄티즘이 경제발전에 플러스의 영향을 미쳤다고 생각하는 것은 적절하지 못하다. 이러한 결과를 해석하는 데에서는 최소한 두 가지 가능성을 고려해야 한다. 첫 번째는 역(逆)의 인과관계이다. 즉 프로테스탄티즘의 보급이 경제발전을 가져온 것이 아니라, 반대로 경제발전이 프로테스탄티즘의 보급을 촉진시켰다고 생각할 수도 있다. 두 번째는, 프로테스탄티즘과 경제발전 사이에는 직접적인 인과관계가 없으며, 배후에 있는 제3의 요인이 양자에 영향을 끼쳐, 그 결과 양자 간 상관관계가 발생했을 가능성이다. 이러한 두 변수 간의 관계는, 좌변에 경제발전 변수를 둔 회귀식에서 우변에 위치한 프로테스탄티즘 변수가 내생성을 가지고 있는 경우에 해당한다. 다시 말해, 프로테스탄티즘 변수가 좌변의 경제발전 변수나 회귀식의 오차항과 상관관계를 가지고 있다는 뜻이다.

이렇듯 설명변수가 내생성을 가지고 있을 가능성이 높을 때, 두 변수 간의 인과관계를 식별하기 위해서 도구변수라고 불리는 특별한 변수를 이용하는 방법이 있다. 일반적으로 도구변수는 내생성을 가지는 설명변수와는 상관관계를 가지고 있지만, 오차항과는 상관관계를 갖고 있지 않는 변수이다. 적당한 도구변수를 찾을 수만 있다면, 다음과 같은 방법으로 내생성을 가진 설명변수와 피설명변수 간의 인과관계를 식별할 수 있다. 먼저 첫 번째 단계로 내생성을 가진 변수를 피설명변수로, 도구변수를 설명변수로 놓고 OLS로 회귀분석을 실시해 추정치를 구한다. 그리고 두 번째 단계에서 내생성을 가진 변수의 추정치를 설명변수로 놓고, 다시 OLS로 원래의 피설명변수에 대한 회귀분석을 실시한다. 이 방법을 2단계 최소자승법(2SLS)이라고 한다.[6] 베커와 뵈스만은 이러한 2SLS를 이용하여 경제발전과 프로테스탄티즘 사이의 인과관계를 식별하고자 하였다.

　도구변수를 사용한 추정은 내생성 문제에 대처하는 유력한 방법이지만, 적당한 도구변수를 찾기 힘들다는 단점이 있다. 베커와 뵈스만 논문의 뛰어난 점은 이러한 단점을 잘 극복했다는 것이다. 마르틴 루터(Luther, Martin)는 종교개혁운동을 추진하면서, 현재 독일 동부의 도시, 비텐베르크를 거점으로 삼았다. 이러한 사실로부터 우리는 독일의 각 지역에서 비텐베르크까지의 공간적 거리와 프로테스탄티즘의 보급 정도 사이에 상관관계가 존재한다고 합리적으로 추론해볼 수 있다. 한편, 각 지역에서 비텐베르크까지의 거리와, 경제발전과 프로테스탄티즘 사이의 회귀식에서 발생하는 오차항이 상관관계를 가지고 있을 가능성은 낮아 보인다. 이를 확인하기 위해서 베커와 뵈스만은 종교개혁 직전의 시점에 비텐베르크까지의 거리와 각 지역의 경제발전 정도 사이의 상관관계를 추정하고, 결과적으로 두 변수 사이에 상관관계가 존재하지 않는다는 결론을 얻었다.

　프로테스탄티즘이 경제발전에 끼친 영향에 관한 추정결과는 표 3-1에

| 표 3-1 | 경제발전에 대한 프로테스탄티즘의 영향 |

피설명변수	1인당 소득세액	공업·서비스업 취업자의 비율
프로테스탄트 인구의 비율	0.586 (0.236)**	0.082 (0.039)**
10세 미만 인구의 비율	-5.301 (1.881)***	-0.452 (0.235)*
유대인 인구의 비율	7.388 (3.479)**	0.262 (0.464)
여성 인구의 비율	-18.772 (3.143)***	-2.755 (0.451)***
도시출생자 인구의 비율	0.446 (0.435)	0.425 (0.069)
프로이센출신 인구의 비율	2.473 (1.921)	-0.302 (0.274)
평균 세대구성원 수	-37.441 (13.698)***	-9.465 (2.127)***
인구(로그값)	8.680 (9.068)	5.170 (1.292)***
인구증가율(1867-71년)	0.292 (1.180)	1.759 (0.165)***
Obs.	426	452
R^2	0.291	0.602

주 : 비텐부르크로까지의 거리를 프로테스탄트 인구비율의 도구변수로 사용하여 2SLS로
    추정한 결과.
    ***   1% 수준에서 통계적으로 유의함.
    **   5% 수준에서 통계적으로 유의함.
    *   10% 수준에서 통계적으로 유의함.
자료: Sascha O. Becker and Ludger. Woessmann, "Was Weber Wrong?: A Human
    Capital Theory of Protestant Economic History," *Quarterly Journal of Economics*, May
    2009, pp.567-8.

잘 정리되어 있다. 경제발전의 지표로는, 인구 1인당 소득세액과 공업·서비스업의 취업자 비율이 사용되었다. 표 3-1을 보면, 인구 1인당 소득세액과 공업·서비스업의 취업자 비율의 두 경우 모두 프로테스탄티즘의 보급이 경제발전에 플러스의 영향을 미쳤다는 것을 확인할 수 있다. 1인당 소득세액에 관한 회귀식에서 프로테스탄트 인구의 비율 계수인 0.586은, 프로테스탄트 인구만 있는 군(郡)과 가톨릭 인구만 있는 군(郡)이 있다고

할 경우, 전자가 후자보다 1인당 소득세액이 0.586마르크 많았다는 것을 의미한다. 이는 프로이센 전체의 평균 1인당 소득세액의 29.6%에 상당하는 큰 차이이다.

이상으로부터, 종파별 인구 비율의 내생성을 고려한 경우에도 (프로테스탄티즘이 경제발전에 플러스의 영향을 미쳤다고 하는) 베버의 가설이 증명되었다고 볼 수 있다. 베커와 뵈스만은 한 걸음 더 나아가, 프로테스탄티즘이 경제발전을 촉진하는 메커니즘, 즉 인과관계의 채널에 관한 분석을 실시했다. 위에서 언급하였듯이 베버는 프로테스탄티즘의 교리 내용이 사람들의 직업 태도에 영향을 미치고 이것이 경제발전을 촉진하는 채널이라고 생각했다. 이에 대해 베커와 뵈스만은 프로테스탄티즘이 사람들의 읽고 쓰는 능력을 향상시켜 이것이 경제발전을 촉진하는 채널이 되었다고 하는 새로운 대체 가설을 제시하였다.

종교개혁을 주도한 루터는 사람들이 직접 성경을 읽을 수 있어야 한다고 주장하였으며, 그 때문에 독일어로 번역된 성경을 간행하기도 했다. 하지만 19세기 후반에도 여전히 프로이센의 국민들은 글을 읽고, 쓰는 데에 어려움을 겪고 있었다. 1871년 프로이센의 인구통계조사에서 식자율에 대한 통계를 확인할 수 있는데, 각 군의 식자율 평균은 87.5%였으나, 표준편차가 12.7%로 식자율이 가장 낮은 군은 37.4%에 지나지 않았다. 그 때문에 종교개혁이 시작된 16세기에는 글을 읽고 쓸 수 있는 능력을 갖춘 사람들이 얼마 되지 않았을 것이라는 점을 충분히 짐작할 수 있다. 루터는 사람들이 스스로 글을 읽고 쓸 수 있도록 교육의 보급에 힘을 썼다. 그는 사람들이 독일어로 성경을 읽을 수 있도록 장려하였고, 모든 마을에 학교를 설립하고자 하였다. 결국 종교개혁과 프로테스탄티즘이 사람들의 읽고 쓰는 능력의 향상을 요구하였고, 이것이 교육의 보급으로 이어졌다. 그리고 이러한 과정을 통해 인적 자본이 형성되어 궁극적으로는 경제발전을 촉진했다는 것이 베커와 뵈스만의 대체 가설이다.

베버의 직업 태도 가설과 베커와 뵈스만의 인적 자본 가설을 식별하는 것은 그리 간단치 않다. 베커와 뵈스만은 인적 자본의 수준을 식자율로 측정했지만, 이 변수 역시 내생성을 가질 가능성이 높다. 다시 말해, 식자율의 상승이 경제발전을 촉진하기도 하지만 반대로 경제발전이 식자율의 상승을 가져올 수도 있다. 내생성을 가진 변수가 두 개 있을 경우 두 개 이상의 도구변수가 필요하지만, 비텐베르크로까지의 거리 이외에 적절한 도구변수를 찾기란 쉽지 않았다. 그래서 베커와 뵈스만은 다음과 같은 방법으로 두 가지 가설의 식별을 시도하였다. 먼저, 최소자승법으로 식자율이 1인당 소득세액에 미치는 영향을 추정하였다. 그리고 그 추정치가 내생성으로 인하여 10~40%의 상향 내지는 하향 바이어스를 가지고 있다고 상정했다. 그다음에 이러한 바이어스를 수정한 계수와 식자율로부터, 식자율에 기인하는 1인당 소득세액을 계산하였다. 그리고 1인당 소득세액에서 위에서 도출된 수치를 뺀 값을 피설명변수로 두고, 프로테스탄트 인구의 비율을 비롯한 다른 변수와 함께 2SLS로 회귀분석을 실시하였다. 그 결과, 식자율이 미치는 영향의 추정치에 어떠한 바이어스를 상정해도, 프로테스탄트 인구의 비율은 1인당 소득세액에 통계적으로 유의한 영향을 미치지 않았다는 것이 밝혀졌다. 이러한 결과는 프로테스탄티즘이 경제발전에 미친 플러스의 영향은, 직업 태도라는 채널(베버 가설)이 아니라, 읽고 쓰는 능력으로 측정한 인적 자본의 형성이라는 채널(베커와 뵈스만 가설)을 통해 발생하였음을 나타내고 있다.[7]

3. 경제적 후진성 가설

1) 후진국과 선진국의 차이

마르크스의 경제발전단계론과 관련지어 생각해보면, 베버의 이론은 자본주의 이전의 사회에서 자본주의 사회로 이행하기 위해 마르크스가 고려하지 않았던 비경제적 조건이 필요하다는 비판으로 볼 수 있다. 그리고 베버는 그러한 비경제적 조건을 프로테스탄티즘의 경제윤리라고 특정화시킨 것이다. 한편, 경제가 일련의 발전단계를 순차적으로 거치면서 발전해간다고 하는 발전단계론 그 자체를 비판하는 유력한 주장도 있다. 그중 하나가 알렉산더 거셴크론이 1960년대에 처음 제기한 **경제적 후진성 가설**이다. 그 내용에 대해서는 그가 저술한 『역사적 시점에서 바라본 경제적 후진성』이라는 저서의 맨 첫 장에 잘 나타나 있다.[8]

당시만 해도 후진국의 공업화는 마르크스의 발전단계론적인 틀로 설명되고 있었다. 그러나 거셴크론은 후진국의 경제발전은 말 그대로 후진국이기 때문에 선진국과는 근본적으로 다른 특징을 가지고 있다고 주장했다. 즉, 마르크스가 후진국은 시간적으로 뒤쳐져 있는 것일 뿐 선진국과 마찬가지로 발전단계를 순차적으로 거치면서 발전해간다고 생각한 것과 달리, 거셴크론은 후진국의 경제발전 과정은 선진국의 그것과 본질적으로 다르다고 생각한 것이다.

후진국과 선진국 간에 명백하게 다른 조건은, 후진국에게는 좀 더 진보한 선진국의 존재가 있다는 점이다. 그 때문에 후진국이 선진국의 기술을 훌륭하게 '차용'할 수만 있다면, 선진국이 장기간에 걸쳐 실현한 경제발전을 후진국은 단기간에 달성할 수도 있다. 그리고 기술도입이 성공한 경우의 발전 속도는 후진성의 정도가 심하고 기술의 격차가 크면 클수록 빠르다. 그러나 후진성의 정도가 클수록 선진국의 기술을 도입할 때 극복하지 않으면 안 되는 장애도 크게 마련이다. 후진성에 동반되는 이러한 경제발전의 장애로서 거센크론은 다음과 같은 점을 들고 있다.

2) 후진국의 경제발전과 제도·조직

첫 번째로, 공업화를 위해 필요한 **노동력의 부족**이다. 상식적으로 후진국의 경우 자본에 비해 노동력이 풍부하다고 생각할 수도 있지만 거센크론은 이에 대해 역설을 제기했다. 그는 공업화 초기의 후진국에서는 농업생산을 위한 토지를 소유하지 않으면서 동시에 공장에서 규율적인 노동에 종사할 수 있는 능력을 갖춘 노동력이 오히려 희소하다고 주장했다. 이러한 논의는 1절에서 본 마르크스의 본원적 축적론을 계승하고 있다고 할 수 있다. 거센크론에 의하면 본원적 축적이란 어렵고 시간이 걸리는 과정이라는 것이다. 마르크스도 영국에서의 본원적 축적에 200년 이상의 긴 시간이 필요했다고 말하고 있다. 따라서 상식과는 반대로 후진국이 공업화를 실현시키기 위해서는 오히려 자본집약도가 높고, 다수의 공장 노동력을 사용하지 않는 기술을 도입할 필요가 있다.

두 번째는, **산업 간 상호보완성**이다. 선진국에서는 여러 가지 다양한 산업이 발전해 있지만 이들 대부분은 상호보완적인 관계에 있다고 거센크론은 생각했다. 산업이 상호 간에 보완적이라는 말은, 예컨대 철도는 연료를 생산하는 탄광의 발달을 전제로 하고 있고 반대로 탄광이 발달하기 위해서는 탄광과 시장을 연결하는 철도의 발달을 필요로 한다는 뜻이다. 그렇기 때문에 공업화를 성공시키기 위해서는 보완성을 지닌 산업을 동시에 발전시킬 필요가 있다. 그것은 하나의 산업을 독립적으로 발달시키는 것과 비교할 때 더욱 어려운 과제이다.

이러한 후진국이 가지고 있는 고유한 공업화의 장애요인 때문에 후진국의 공업화는 쉽지 않다. 하지만 만약 이러한 장애요인이 훌륭히 극복된 경우에는 자본집약도가 높은 산업부문들이 동시에 확대되는 급속한 발전이 가능하다는 것이 거센크론의 기본적인 생각이었다.

그는 한걸음 더 나아가 공업화의 장애요인을 극복할 수 있는 방법에 대해서도 주목할 만한 시각을 제시했다. 거센크론은 장애를 극복하고 급속한 성장을 실현한 선진국의 모델로서 독일과 러시아를 주목했다. 19세기에 이들 두 나라는 맨 먼저 '산업혁명'을 달성한 영국에 비해 후진성을 면하지 못하고 있었다. 거센크론은 독일이 장애를 극복할 수 있었던 요인은 독일 특유의 **은행 시스템**이었다고 말한다. 독일의 공업화 과정에서는 대규모의 은행이 산업기업과 밀접한 관계를 맺으면서 형성된 산업금융과 기업금융이 큰 역할을 수행하였다. 거센크론은 이러한 이른바 독일형 산업은행을 통해서 공업화를 위한 자본이 동원되고, 그에 따라 자본집약도가 높은 산업을 동시에 발전시킬 수 있었다고 주장했다.

한편, 독일보다 후진성이 더 심했던 러시아에서는 은행과 같은 민간의 조직으로는 장애를 극복하기에 충분하지 않았다. 그래서 국가가 직접 산업개발을 주도했다. 다시 말해 후진성의 정도에 따라 극복해야 할 장애의 난이도가 다르고, 그것에 대응해서 장애를 극복하기 위해 필요한 조직·제도가 다르다는 것이다.

거센크론이 조직·제도의 기능에 주목하고 나아가 국가별로 조직과 제도의 다양성이 존재한다는 점에 착안한 것은 경제적 후진성과의 관련성 뿐만이 아니라 좀 더 일반적인 문맥에서 중요한 의미를 가진다. 이러한 점에 대해서는 다음 장에서 자세히 살펴본다.

이 해 와 사 고 를 돕 기 위 한 문 제

❶ 카를 마르크스, 『자본론 I (하)』(김수행 옮김, 비봉출판사, 2001)의 제8편을 읽고, 자본의 본원적 축적에 대해서 설명해보자.

❷ 막스 베버, 『프로테스탄티즘 윤리와 자본주의 정신』(김상희 옮김, 도서출판 풀빛, 2006)을 읽고 현대의 경제사 연구에서 막스 베버의 생각이 어떠한 식으로 반영될 수 있을지 생각해보자.

❸ 알렉산더 거센크론, *Economic Backwardness in Historical Perspective: A Book of Essays*(Cambridge MA: Belknap Press of Harvard University Press, 1962)를 읽어보고, 거센크론의 경제적 후진성 가설이 일본과 한국의 경제발전을 어떤 식으로 설명할 수 있을지 생각해보자.

❹ 이영훈 엮음, 『수량경제사로 다시 본 조선후기』(서울대학교 출판부, 2005)를 읽어보고 근대 성장기에 접어들기 이전의 한국 경제를 정리해보자. 그리고 이대근 외, 『새로운 한국경제발전사』(나남출판, 2005)에서 제2부를 읽어보고 한국의 경제발전의 계기로는 어떠한 것들을 생각해볼 수 있는지 정리해보자.

더글러스 노스(North, Douglass C.)는 근대 유럽사회가 다른 지역보다 더 빨리 장기적인 경제발전의 시동을 걸 수 있었던 원인으로 국가에 의한 소유권보호가 확립되었다는 점을 꼽았다.

제도의 중요성은 경제성장에 관한 여러 가지 실증분석을 통해서도 확인할 수 있다. 노스 등에 의해 확립된 제도 경제사 분야는 그 대상을 공적인 제도뿐만이 아닌 사적인 제도로까지 확대하였고, 게임이론이라는 이론 틀을 통해 게임의 균형으로서 제도의 존재를 설명함으로써 비교역사제도분석이라는 새로운 연구영역을 탄생시켰다.

제4장

제도와
경제발전

키워드

경소유권, 커미트먼트(commitment, 약속하기),
영국의 명예혁명, 비교역사제도분석, 게임이론

1. 더글러스 노스의 문제제기

1) 『서구세계의 성장』

경제사 연구에 막대한 영향을 끼치게 될 한 권의 책이 1970년대 초에 출간되었다. 더글러스 노스와 로버트 토머스(Thomas, R. P.)가 쓴 『서구세계의 성장: 새로운 경제사(The Rise of the Western World: A New Economic History)』가 바로 그것이다.[1] 이 책은 근대의 서유럽 사회가 제일 먼저 지속적인 경제성장의 궤도에 올라 빈곤에서 탈출하는 데 성공할 수 있었던 역사적 사실에 초점을 맞추었다. 즉, 노스와 토머스는 20세기 초에 막스 베버가 제기한 문제를 다시 한 번 정면에서 다룬 셈이다. 그리고 이전의 연구에서 서유럽 경제발전의 원인이라고 생각되어온 "여러 가지 요인(기술혁신, 규모의 경제성, 교육, 자본축적 등)은 성장의 원인이 아니라 성장 그 자체이다"라는 비판을 제기했다. 그들은 기술혁신, 규모의 경제성, 인적·물적자본의 축적이 경제성장을 가져온 것은 그렇다 치더라도 어째서 근대 서유럽이라는 특정한 시대와 특정한 지역에서 이러한 현상들이 활발하게 일어난 것인지에 대해서 설명하지 않으면 안 된다고 주장했다. 이러한 비판은 주로 제2장에서 언급한 경제성장이론의 입장을 대변하는 연구들과 더불어 마르크스적인 경제발전단계론을 겨냥한 것이었다.

여기까지는 막스 베버와 동일하지만, 노스와 토머스는 여기서부터 베버와는 다른 방향을 향해서 나아간다. 즉, 베버가 경제발전을 가능하게 한 서유럽의 독자적인 요인을 프로테스탄티즘의 경제윤리에서 찾으려고 한 반면에, 노스와 토머스는 그것을 '효율적인 경제조직'에서 찾아야 한다는 새로운 가설을 제시했다. 그들은 효율적인 경제조직이란 **거래비용**을 절감해서 개인적인 편익을 사회적인 편익에 근접시키는 제반 제도라고 설명했다. 여기에서 '거래비용'은 재화의 교환에 따르는 탐색비용, 교환의 조건에 따르는 교섭비용, 계약을 실시하기 위한 실시비용 등을 포함하는 것으로 정의된다.

이러한 거래비용에 관한 시각은 **거래비용의 경제학**(Transaction Cost Economics) 이론을 기반으로 하고 있다. 거래비용의 경제학은 로널드 코스 (Coase, R. H.)에서 시작되어, 올리버 윌리엄슨(Williamson, O. E.)에 의해 발전된 경제이론의 한 분야이다. 이것은 오늘날에도 제도나 조직에 관한 연구에서 유용한 분석도구로 평가받고 있다. 위에서 말한 거래비용은 신고전파 경제학에서는 통상 고려되지 않는다. 거래비용의 경제학은 이러한 종류의 비용을 명시적으로 이론에 반영시킴으로써 고용계약이나 하청거래 등 현실에 존재하는 여러 가지 거래양식을 이론적으로 분석할 수 있는 가능성을 제시했다.[2]

노스와 토머스는 이러한 거래비용의 경제학의 틀을 베버가 제기한 경제사의 기본문제에 적용시킨 것이다. 그들은 16~18세기의 서유럽에서 거래비용을 절감시키는 제도로서 구체적으로는 **국가에 의한 소유권의 보호**를 강조하고 있다. 중세 유럽에서는 많은 영주들이 소규모 영역을 분산적으로 통치하고 있었지만, 16~18세기에는 이들 영주들을 대신해서 넓은 영역을 지배하는 집권적인 국가가 출현했다. 특히 네덜란드나 영국과 같은 국가는 시민의 소유권을 보호하게 되었다.

2. 영국 명예혁명의 경제적 의미

1) 소유권 보호의 두 가지 의미

여기에서 소유권의 보호는 두 가지 의미를 담고 있다. 첫 번째는 시민 상호 간의 거래에서 계약의 집행을 담보한다는 의미이다. 단적으로 말하면, 거래 상대에게 물건을 건넸는데도 상대가 대금(代金)을 지불하지 않는 경우에 물건을 파는 쪽은 국가의 재판소에 소송을 걸어 국가권력으로 물건을 산 쪽에 강제로 대금을 지불하도록 할 수 있다는 것이다. 두 번째로는 국가가 자의적으로 시민의 재산을 빼앗을 수 없다는 의미가 담겨 있다.

첫 번째 조건이 없다면, 사람들은 안심하고 상거래를 행할 수가 없고 상거래가 확산되지 못할 것이다. 또한 두 번째 조건이 보장되지 않으면, 사람들이 경제활동을 통해서 **부를 축적할 동기**가 줄어들 것이다. 경찰과 군대를 배경으로 하는 국가권력은 개개인의 입장에서 보면 거대한 공권력이므로 올바르게 행사된다면 타인으로부터의 소유권 침해를 막아줄 수 있다. 그러나 한편으로 남용될 경우 국가권력 자체가 소유권을 위협할 수 있는 가능성도 존재한다. 노스와 토머스는 이 두 가지 조건이 역사상 최초로 정비된 것이 16~18세기의 서유럽, 특히 네덜란드와 영국이라고 보고 그러한 사실 때문에 이 지역에서 가장 먼저 지속적인 경제발전이 가능했다고 생각했다.

2) 영국 명예혁명에 관한 실증분석

노스는 정치학자인 베리 웨인가스트(Weingast, B.)와 함께 발표한 논문을 통해서 소유권 보호, 특히 두 번째 의미로서의 소유권 보호의 중요성을 17세기의 영국에서 일어난 '명예혁명'(1688~1689년)의 사례를 들어 실증분석했다.[3] 그 논문에서 노스와 웨인가스트는, 지속적인 경제성장이 발생하기 위해서는 단순히 정부가 소유권의 보호를 선언하는 것만이 아니라 소유권 보호가 사람들에게 신뢰받는 것이어야 할 필요가 있다는 점을 강조하고 있다. 어떤 사람이나 조직이 어떠한 사항을 선언하거나 약속하는 것뿐만이 아니라 그 선언이나 약속을 지키는 것이 자신에게 이익이 될 수 있는 조건을 부여해서 다른 사람이나 조직이 그것을 신뢰할 수 있도록 하는 것을 경제학에서는 커미트(commit, 약속하기)라고 한다. 이 용어를 사용해서 표현하면, 노스와 웨인가스트의 논점은 경제성장이 발생하기 위해서는 정부가 소유권 보호를 커미트할 필요가 있다는 것이다.

노스와 웨인가스트에 따르면 명예혁명 이전의 17세기 영국의 국왕은 국민의 소유권 보호를 커미트하고 있지 않았다. 국가 재정상의 필요에 의해 세금이라는 명목으로 자의적으로 국민의 재산을 수탈하고 있었기 때문이다. 이미 청교도혁명을 경험했던 당시의 영국에서는 의회와 재판소가 국왕의 자의적인 수탈에 저항하는 기능을 하고 있기는 했지만 한계가 있었다. 첫째, 국왕은 의회에 대해서 칙령을 제정하여 의회가 제정한 법률을 정지시킬 수 있었다. 둘째, 국왕은 재판소에 대해서 재판관을 임명하는 권한을 가지고 있었다. 형태상으로는 삼권분립이 갖추어져 있었지만 실질적으로는 그렇지 못했던 것이다.

가톨릭 신자였던 국왕 제임스 2세와 프로테스탄트가 다수를 차지하고 있던 의회 사이의 종교적 대립이 계기가 되어 표면화된 양자 간의 갈등은, 제임스 2세의 딸 메리의 남편인 네덜란드의 군주 오렌지 공 윌리엄의 군대가 의회의 내원 요청에 응함으로써 의회 측의 승리로 끝났다. 제임스 2세는 퇴위하고 윌리엄과 메리 부부가 새로운 국왕으로 즉위하면서 의회로부터 '권리장전'을 받아들였다. 그 결과 영국의 국가체제는 다음과 같은 점에서 크게 변화했다.

첫째, 의회가 명실상부한 국가의 최고기관이 되고 국왕도 의회가 제정하는 법률에 따르지 않으면 안 되었다. 둘째, 재정에 관한 권한도 의회가 장악하게 되었다. 셋째, 재판관은 형사사건으로 유죄가 확정되거나 의회의 결정에 의한 것이 아니면 파면되는 일이 없고, 재판소의 독립성도 확보되었다. 그리고 무엇보다도 중요한 것은, 실제로 국왕의 권한을 남용한 제임스 2세가 추방당함으로써 의회를 최고기관으로 하는 새로운 국가체제가 국민으로부터 충분히 신뢰받을 만한 것이 되었다는 점이다.

노스와 웨인가스트는 **명예혁명에 의한 제도 변화의 경제적 의미를** 국가 재정과 민간의 경제활동이라는 양면에서 검토했다. 우선 재정은 명예혁명 이후 채무 잔고가 증가하는 한편, 국채 이자가 현저하게 감소했다(표 4-1). 이것은 금융시장이 영국 정부를 더 높이 평가하게 되었다는 것을 의미한다. 그다음으로 민간의 경제활동에서는 증권시장의 규모가 확대되고 은행의 수가 증가했다는 것 등을 들 수 있다(표 4-2).

노스 등이 주장한 제도의 중요성은 비단 경제사뿐만이 아니라 경제이론, 개발경제학 등 다양한 분야에 걸쳐 큰 영향을 미쳤다. 경제발전에서 제도가 중요하다고 보는 시각은 오늘날에는 폭넓게 받아들여지고 있는

표 4-1 명예혁명과 정부의 장기차입 조건

연도	차입금액(파운드)	이자율(%)
1693	723,394	14.0
1694	1,000,000	14.0
1694	1,200,000	8.0
1697	1,400,000	6.3
1698	2,000,000	8.0
1707	1,155,000	6.3
1721	500,000	5.0
1728	1,750,000	4.0
1731	800,000	3.0
1739	300,000	3.0

주: 이 표는 각 연도의 개별적인 차입조건의 데이터를 제시한 것이다. 1694년의 데이터가
두 종류인 것은 그 때문이다.
자료: Douglass C. North and Barry R. Weingast, "Constitutions and Commitment: The
Evolution of Institutions Governing Public Choice in Seventeenth-Century
England," *The Journal of Economic History*, 49(4), 1989.

표 4-2 명예혁명과 민간의 경제활동

(단위: 1,000파운드)

연도	지폐유통액	잉글랜드 은행의 당좌예금
1698	1,340	100
1720	2,900	1,300
1730	4,700	2,200
1740	4,400	2,900
1750	4,600	1,900

자료: 표 4-1 참조.

일치된 의견(consensus)이다. 그리고 이러한 점은 많은 실증연구에 의해
재차 확인되고 있다. 여기에서는 경제발전과 제도의 관계를 전체적으로
파악하고 있는 연구를 한 가지 소개한다.

3. 제도와 경제발전

경제발전과 제도의 관계를 정량적으로 파악하기 위한 한 가지 방법은, 제2장에서 설명한 바와 같이 크로스컨트리 데이터를 이용해서 경제성장에 관한 회귀분석을 실시하는 것이다. 각 나라별로 제도의 질을 나타내는 변수를 찾아내어 이를 설명변수로 놓고, 각 나라별로 1인당 GDP나 경제성장률을 피설명변수로 하는 회귀식을 생각해볼 수 있다. 그러나 제도의 질을 설명변수로 하는 회귀식은, 앞서 살펴본 제3장의 프로테스탄티즘의 경우와 마찬가지로 내생성 문제가 발생한다. 즉, 제도의 질이 경제성장에 영향을 미치기도 하지만 반대로 경제가 성장하면 제도가 발전할 수도 있기 때문이다. 특히 제도의 질은 경제발전에 영향을 받기 쉽기 때문에, 제3장의 프로테스탄티즘과 경제발전에 관한 분석보다 내생성 문제가 심각하다고 볼 수 있다. 이에 대한 대응책으로 생각할 수 있는 것은 역시나 도구변수를 이용하는 추정이지만, 제도의 질에 관한 적절한 도구변수를 찾아내기란 쉽지 않다.

대런 아세모글루(Acemoglu, D.) 외 두 명의 공저자는 독자적인 방법을 통해 제도의 질을 나타내는 도구변수를 찾아냈고 이를 이용해서 제도가 경제발전에 미친 영향을 측정했다.[4] 제도의 질과 경제발전에 관한 아세모글루 등의 논문은 다음과 같은 생각에 기초하고 있다. 첫 번째로, 그들은 구미 제국에 의한 타 지역의 식민지화 역사에서, 식민지 정책에 몇 가지 유형이 있다는 것에 주목하였다. 전형적인 식민지 정책 중 하나는 벨기에가 콩고에서 채용했던 것과 같이, 현지에서 자원 수탈을 주목적으로 삼은 정책이다. 이 경우 식민 모국은 식민지 지역의 재산권의 확보나 정부의 권력 남용 억지에 크게 관심을 두지 않았다. 반대로 식민지 지역의 재산권의 확보나 정부의 권력 남용 억지에 대해 본국과 동일한 제도를 이식하고자 했던 경우도 있었는데, 예컨대 구미 제국의 식민지였던 오스트레일리아, 뉴질랜드, 캐나다, 미국 등이 이에 해당한다. 두 번째로, 이러한 식민지 정책의 차이는 유럽 사람들의 정주 난이도(현지에 정주하는 것이 쉬운지 어려운지: 역자 주)에 달려 있다는 것이다. 예를 들면 열대성 전염병 등에 의해 사망할 리스크가 높은 지역에는 유럽인의 정주가 어려웠고, 그러한 지역에서는 수탈적 식민지 정책이 취해졌다. 세 번째로, 식민지 시대에 도입된 제도는 식민지가 독립한 이후에도 지속적인 영향력을 행사하고 있다고 상정하였다.

이렇게 보면, 식민지 개척 시대 유럽인의 사망 리스크가 식민지 지역의 제도를 결정하게 되었고, 이것이 결국에는 그 지역의 현재 제도에도 영향을 미치고 있는 것이 된다. 한편, 현재에 이르기까지 의학·공중위생의 발달을 고려해보면, 식민지 시대 당시의 사망 리스크가 직접적으로 현재 그 지역(옛 식민지 지역: 역자 주)의 경제 퍼포먼스에 영향을 미치고 있을 가능성은 매우 낮다. 제3장의 도구변수에 관한 설명을 다시 한 번 떠올려 보자. 이 경우 식민지 개척 시대 유럽인의 사망 리스크에 관한 변수는 현재 그 지역의 제도와 상관이 있으며, 이와 동시에 현재 그 지역의 경제 퍼포먼스를 피설명변수로 하는 회귀식의 오차항과는 상관관계가 없다. 다시 말해, 식민지 개척 시대 유럽인의 사망 리스크는 현재 그 지역의 제도의 질을 나타내는 도구변수로 사용할 수 있다.

구체적인 회귀분석은 다음과 같이 이루어진다. 피설명변수는 각국의 1995년 1인당 GDP(구매력평가기준, 로그값)이다. 제도의 질에 관한 변수로

표 4-3   제도와 경제발전

	(1)		(2)	
ⓐ 2SLS에 의한 추정결과 피설명변수: 1인당 GDP(1995년)				
사유재산 침해리스크로부터의 보호 정도 (1985~1995년 평균)	0.98	(0.30)	1.10	(0.46)
위도			-1.20	(1.80)
아시아 더미	-0.92	(0.40)	-1.10	(0.52)
아프리카 더미	-0.46	(0.36)	-0.44	(0.42)
기타 대륙 더미	-0.94	(0.85)	-0.99	(1.00)
ⓑ OLS에 의한 추정결과 피설명변수: 사유재산 침해리스크로부터의 보호 정도(1985~1995년 평균)				
19세기 전반 유럽인 정주자의 사망률	-0.43	(0.17)	-0.34	(0.18)
위도			2.00	(1.40)
아시아 더미	0.33	(0.49)	0.47	(0.50)
아프리카 더미	-0.27	(0.41)	-0.26	(0.41)
기타 대륙 더미	1.24	(0.84)	1.10	(0.84)
Obs.	64		64	
R^2	0.30		0.33	

주: ( ) 안의 수치는 표준오차.
     제외된 대륙 더미는 아메리카.
자료: Daron Acemoglu, Simon Johnson and James A. Robinson, "The Colonial Origins of Comparative Development: An Empirical Investigation," *American Economic Review*, 91(5):1369~1401, 2001, p.1386.

는 민간 리스크 평가회사(Political Risk Services)가 작성한 각 나라별 '사유재산 침해 리스크로부터의 보호 정도'를 나타내는 지표(11단계 평가, 1985~1995년 평균)가 사용되었다. 유럽인 정주자의 사망 리스크에 관한 변수는 역사학자 필립 커틴(Curtin, P. D.)이 작성한 19세기 전반에 관한 데이터로부터 작성되었다.[5] 주요한 추정결과는 **표 4-3**에 정리되어 있다.

표 하단의 패널 ⓑ에는 제1단계 추정, 즉 제도의 질을 나타내는 '사유재산 침해 리스크로부터의 보호 정도'를 피설명변수로 놓고, 유럽인 정주자의 사망 리스크(도구변수)와 기타 설명변수로 회귀분석한 결과가 제시되어 있다. 상정했던 대로, 19세기 전반 유럽인의 사망률은 현재의 제도의 질에 마이너스의 영향을 미치고 있음을 알 수 있다. 즉, 과거 식민지 시절 유럽인 정주자의 사망률이 높아 정주가 어려웠던 지역은 현대에 이르러서도 사유재산 침해의 리스크가 높다는 뜻이다. 다음으로, 표 4-3의 상단에 위치한 패널 ⓐ는 제1단계 회귀식에서 얻은 '사유재산 침해 리스크로부터의 보호 정도'의 추정치를 설명변수로 넣고, 1995년 각국의 1인당 GDP를 피설명변수로 한 회귀분석의 결과이다. '사유재산 침해 리스크로부터의 보호 정도'의 내생성을 고려한 경우에도, 사유재산 보호의 정도가 높을수록 1인당 GDP가 통계적으로 유의하게 높은 결과를 보였다. 이러한 결과는 제도의 질이 경제발전에 긍정적인 영향을 미쳤다는 견해를 뒷받침하고 있다.

4. 비교역사제도분석

노스와 그 이후의 제도에 관한 연구에 의해 경제사와 경제발전에 대한 이해는 크게 진전되었다. 거기에는 앞에서도 말했듯이 거래비용의 경제학을 경제사 연구에 응용한 것이 중요한 기능을 했다. 그것은 바로 **경제주체의 동기**(인센티브, incentive)**가 제도로부터 영향을 받는다는** 시각이다. 마르크스의 이론에서는 인센티브의 문제가 명시적으로 고려되고 있지는 않다. 자본가는 어떠한 상황에서도 이윤을 추구하며, 노동자는 자본가의 감독 아래 고용노동에 종사하는 것 이외에 살아갈 수 있는 방도가 없다는 단순화된 전제가 바탕이 되고 있기 때문이다.

인센티브의 문제를 무시한 것이 마르크스의 사회주의 사회에 대한 비전에도 치명적인 영향을 끼쳤다는 것을 여기에서 잠시 설명해보자. 소련을 비롯해서 제2차 세계대전 이후 차례차례 생겨난 사회주의 국가들은 예외 없이 모두 노동자와 관료의 동기 부족에 골머리를 앓다가, 결국 그 문제를 해결하지 못한 채 대다수가 체제의 붕괴를 겪을 수밖에 없었다. 반면, 신고전파 경제학은 인센티브를 이론적으로 반영하고는 있지만 그것이 다양한 사회제도의 영향을 받는다는 것을 생각하지는 못했다. 노스 이전의 경제사 연구의 한계는 이러한 문제에서 비롯되는 경제이론의 특징들에서 주로 발견되었다고 말할 수 있다.

그러나 거래비용의 경제학에서도 여전히 해결하지 못하는 문제점들이 드러났고, 그러한 것들은 노스 등의 연구에서 한계점으로 지적되고 있다. 거래비용의 경제학에서는 거래의 속성과 거래를 관리(governance)하는 제도를 조합하는 방법에 따라 거래비용이 달라질 수 있다는 것과 어떤 속성을 띠는 거래에 대해서 거래비용을 가장 절약할 수 있는 관리제도가 채용된다는 것을 가정하고 있다. 그러나 그러한 거래관리제도가 왜 유효하게 기능하는 것인지, 즉 어떤 거래관리제도가 채용되었을 경우에 거래 당사자들이 왜 그 제도를 따르는 것인지에 대해서 본격적으로 분석하지는 않는다.

이러한 특징은 노스의 연구에서도 반영되어 있다. 노스는 경제사 연구의 방법에 대해 언급한 그의 저서 속에서 제도를 "사회에서의 게임의 룰" 또는 "사람들에 의해서 고안된 제약이며, 사람들의 상호작용을 형태 짓는 것"이라는 정의를 내리고 있다.[6] 그러나 사람들이 고안해낸 제약이 왜 사람들의 상호작용을 형태 짓는 것일까? 다시 말해, **사람들은 왜 그 '제약'을 지키는 것일까**에 대해서 분석하지는 않는다.

노스 등의 연구에서 이러한 문제점을 지적하며 그것을 해결할 수 있는 방법을 제시한 것이 애브너 그라이프가 제창한 **비교역사제도분석**, 그리고 비교역사제도분석과 상호작용을 통해 발전해나간 아오키 마사히코 등의 **비교제도분석**이다. 비교역사제도분석과 비교제도분석이 경제사를 포함한 경제학 연구에 가져온 혁신은 새로운 '제도'의 개념 속에 전부 집약되어 있다. 그라이프는 제도를 "기술 이외의 요인에 의해 결정되는 행동에 대한 자기구속적인 제약"이라고 정의하고 있다.[7] 여기에서 '자기구속적'이라는 것은 사회를 구성하는 사람들이 그러한 제약에 따라야 하는 인센티브를 가지고 있다는 의미이다. 이것을 이론적으로 설명하면, 그러한 제약 자체가 사회를 구성하는 사람들 또는 경제 주체(플레이어)들이 행동한 결과이면서 동시에 게임의 **내쉬균형**이 된다는 뜻이다.

비교역사제도분석과 비교제도분석은 게임이론의 응용을 통해 다시 한 번 새롭게 제도를 파악할 수 있는 방법을 제시했다고 말할 수 있다. 그리고 이것을 이용해 국가에 의한 소유권 보호 이외에도 분석대상을 다양한 제도로 확장시켜, 왜 그리고 어떤 식으로 그러한 제도가 사람들의 행동을 제약하는 것일까 하는 문제를 밝혀내고 있다. 비교역사제도분석의 방법과 성과에 대한 자세한 내용은 다음 장에서 다시 한 번 설명한다.

❶ 더글러스 노스, 로버트 토머스, 『서구세계의 성장: 새로운 경제사』(이상
호 옮김, 자유기업센터, 1999)를 읽어보고 서구세계의 성장동력을 정리
해보자.

❷ 이헌창, 『한국경제통사(7판)』(해남, 2016)를 읽어보고 우리나라에서 사유
재산권 보호가 확립된 시점에 대해 알아보자.

❸ Daron Acemoglu, Simon Johnson and James A. Robinson, "The Colonial
Origins of Comparative Development: An Empirical Investigation"
American Economic Review, 91(5): 1369~1401(2001)를 읽어보고 제도의
실증분석 방법에 대해 알아보자.

❹ 앙리 피렌(Pirenne, Henri), 『중세 유럽의 도시』(강일휴 옮김, 신서원,
1997)를 읽어보고, 약속하기(commitment)를 키워드로 해서 중세도시의
경제적 의미에 대해서 생각해보자.

역사적으로 보았을 때, 시장경제가 순조롭게만 발전해온 것은 아니다. 고대, 특히 로마제국에서 시장경제는 첫 번째로 번영의 정점을 맞이하게 된다. 그러나 이슬람교도들이 침입해 지중해 세계에 발을 들여놓자 시장경제는 쇠퇴의 길을 걷게 되고, 자급자족을 특징으로 하는 중세 유럽사회가 등장한다. 그 이후 다시 한 번 시장경제가 발전하게 되는 것은 11세기의 '상업의 부활' 이후이다.

애브너 그라이프는 통일적인 국가권력이 존재하지 않았던 11세기의 지중해 세계에서 왜 시장경제가 다시금 부활하게 되었는지를 연구했다. 그는 상인집단(결탁)의 다각적 징벌전략이 게임의 균형으로서 계약집행을 지탱하고 있었다는 것을 밝혀냈다. 일본에서도 시장경제는 오랜 역사가 있으며, 특히 전근대(前近代)에 해당하는 에도시대에는 시장경제가 고도로 발달했었다. 그러나 한편 에도시대에는 국가에 의한 계약집행이 충분히 발휘되지 못했다. 이러한 간극을 메울 수 있었던 것이 가부나카마(株仲間)라는 다각적 징벌전략이었다.

제5장

시장경제의
발전

키워드

상업의 부활, 샹파뉴 대규모 시장[大市], 계약집행, 다각적 징벌전략,

상대제령(相對濟令), 가부나카마, 덴포(天保) 개혁

1. 시장경제의 역사

1) 시장경제의 기원

시장경제의 역사는 기원전으로 거슬러 올라간다.[1] 기원전 8세기부터 기원후 2세기까지, 즉 그리스의 모든 도시국가와 로마제국이 번영했던 시기의 **지중해 세계**에서는 적어도 서유럽이 11~12세기까지도 도달할 수 없었던 수준으로 활발한 시장거래가 행해지고 있었다. 그 이전 시대에는 특정한 민족이 지중해 상업을 담당하고 있었다. 대표적으로는 페니키아인이라고 불리던 사람들이었다. 페니키아인들은 오랫동안 유럽과 이집트 간의 무역에서 독점적인 지위를 차지하고 있었다. 키프로스의 구리와 레바논의 목재 등을 이집트로 수출하고, 이집트로부터는 파피루스 등을 수입해왔다. 페니키아인들의 업적으로는 알파벳의 발명도 꼽을 수 있다.

페니키아인들에 이어서 지중해 상업에 진출한 민족은 그리스인들이었다. 원래부터 그리스인들은 농경민족이었지만, 지형이 산투성이에다 토지도 척박하기 이를 데 없었기 때문에 어쩔 수 없이 해상무역에 진출할 수밖에 없었다. 바다 근처에까지 산이 직면해 있는 그리스의 지형은 항만으로서도 좋은 조건을 갖추고 있었다. 경제학적인 용어로 설명하자면, 그리스는 농업에는 비교우위가 없고 외국무역에는 비교우위가 있었던 셈이다. 그리스인들은 증가하는 인구에 대응하기 위해, 그리고 무역 거점을 더욱 확대시키기 위해 지중해의 여러 섬들, 소아시아(지금의 터키 부근), 더 나아가 흑해 연안까지 진출해 식민지를 건설했다. 식민지의 농업생산물이 그리스로 수입되고, 그리스는 올리브유, 와인, 도기, 금속제품과 같은 가공품, 공업제품 등을 수출했다. 이러한 무역의 발달에 힘입어, 기원전 7세기경부터 **금속화폐**[硬貨]가 사용되었다. 화폐의 사용은 교환의 편리함을 가져오는 동시에 무역을 촉진시키는 기능을 했다. 최초의 화폐로는 금과 은의 합금이 이용되었지만, 아테네에서 은광이 대규모로 개발되어 은의 산출량이 늘어나자 점차 은화가 지배적인 화폐가 되었다.

2) '로마의 평화'와 시장경제

고대 상업의 최전성기는 **로마제국**에서 달성되었다. 이것을 우연한 것으로 생각할 수는 없다. 그 전제가 되는 것은 지중해 세계 전체가 장기에 걸쳐 로마제국의 안정된 지배 아래 있었다는 점이다. 기원전 27년에 옥타비아누스가 권력을 장악한 이후, 기원후 2세기까지의 이른바 오현제시대(五賢帝時代)에 이르기까지 로마제국은 내외에 걸쳐 정치적·군사적으로 안정된 '**로마의 평화**' 시대를 향수할 수 있었다.

로마의 지배를 확대하고 유지하기 위한 간선도로가 정비되었고, 그리스 도시국가들의 최전성기에 해당하는 시기를 포함해서 그때까지도 활발하게 활동하고 있던 해적과 산적들도 거의 완전히 소탕되었다. 이러한 치안의 안정을 바탕으로 로마제국은 로마법이라고 불린 법체계를 발전시켰다. 특히 중요한 것은 **로마법**이 소유권과 계약집행을 엄격히 규정하고 있었다는 것이다. 즉, 지중해 세계의 전역을 지배하는 국가권력이 소유권과 계약집행을 법에 근거해서 담보하는 제도가 로마제국에서 형성된 것이다. 제3장에서 살펴본 노스 등의 시각을 참고하면, 이러한 것 들이 로마시대에 시장경제가 발달한 기본적인 이유가 되었다는 것을 알 수 있다.

3) 중세 유럽사회

그러나 시장경제는 이렇듯 고대부터 순조롭게 발전해온 것만은 아니다. 이러한 점을 강조한 연구자가 20세기 벨기에의 역사학자 앙리 피렌 (1862~1935년)이다. 위에서 언급한 대로 지중해는 유럽과 아시아를 연결 하는 해상로로 기능하면서 상업과 무역의 주요한 무대가 되어왔다. 그러 나 7세기에서 8세기에 걸쳐 발생한 이슬람교도의 유럽 침입으로 이러한 상황은 크게 바뀌었다. 이슬람교는 100년이 채 되지 않는 기간 동안에 지중해의 대부분을 차지했고, 그 결과 서유럽은 당시 세계에서 선진지역 이었던 아시아와의 고리가 끊어졌다.

이렇게 해서 독립한 서유럽은 **비상업적·자급자족적**인 성격을 띠는 독특한 경제사회 시스템을 발달시켜나가게 된다. **중세 유럽**의 시작이었 다. 외부 세계와 교역이 단절된 것은 서유럽 내부의 사회적인 분업관계를 축소시켰다. 고대에 발달한 도시는 쇠퇴하기 시작하고 인구의 대부분은 농촌에 살게 되었다. 그리고 농민의 대부분은 **장원**이라고 불리는 조직에 소속되었다. 장원은 교회나 귀족이 영주로서 지배하는 영역(領域) 또는 조직(組織)으로서, 영주는 그의 영역 내에 살고 있는 농민을 '**농노**'로서 관리하고 있었다. 농노는 장원 안에서 자기 자신을 위한 경작지를 세습적 으로 보유할 수 있었지만 그 대신에 농작물이나 축산물 등과 같은 **공조**(貢 租)를 현물로 영주에게 납부할 의무가 있었다. 또한 농노에게는 자신의 경작지를 떠날 수 있는 자유가 없었고, 설령 장원의 소유권이 다른 영주에 게 넘어가더라도 토지에 결박되어 있는 농노는 그곳을 떠날 수 없었다. 다시 말해 장원은 그 안의 농노를 포함한 채로 매매되었던 것이다. 영주와 농노로 구성된 이러한 장원은 각각이 거의 자급자족에 가까운 경제생활의 단위가 되었다. 즉, 적어도 서유럽에서는 상업 및 시장경제가 일단 현저하게 쇠퇴한 것이다.

4) '상업의 부활'

서유럽에서 시장경제가 중세의 정체기를 벗어난 것은 이슬람교도의 침입으로부터 약 300년이 지난 11세기가 되어서이다. 이것을 피렌은 '**상업의 부활**'이라고 불렀다. 즉, 피렌은 7~8세기에 이슬람교도의 침입으로 고대 이래 지속되어온 상업 및 시장경제가 쇠퇴하고, 300~400년에 걸친 상업의 정체와 동시에 자급자족 사회를 거친 후, 11세기에 들어서 다시 한 번 상업이 부활한다는 명확한 역사적 견해를 제시했다. 이러한 견해에 대해서 8세기 이후에도 상업이 지속되고 있었다는 비판이 있기는 하지만, 기본적으로는 피렌의 시각이 오늘날에도 널리 받아들여지고 있다.

상업의 부활은 두 개의 지점으로부터 촉발된 충격으로 발생했다. 두 개의 지점은 바로 **남방**(베니스)과 **북방**(플랑드르)이다. 베니스는 게르만 민족의 이동 때문에 삶의 터전에서 쫓겨난 사람들에 의해 북부 이탈리아 연안의 습지에서 5~6세기 무렵부터 형성되었다. 거의 모든 **베니스인**들은 농업에 적합한 토지를 가지고 있지 않았다. 그래서 그들은 처음부터 자연스럽게 해상상업을 활발하게 전개해나갔으며 주로 동방의 비잔틴 제국과의 무역에 종사했다. 베니스의 상인들은 비잔틴 제국의 수도인 콘스탄티노플에 와인, 소금, 목재 등을 운반해가고, 그 대신 비잔틴의 공업 제품이나 아시아산 후추 등을 본국으로 가지고 들어왔다. 베니스는 이슬람교도의 지배를 받지 않고 있던 동지중해를 무대로 유럽의 동쪽 창구의 구실을 했다고 말할 수 있다. 베니스의 상업 활동은 차츰 이탈리아 다른 지역의 상업도 자극하게 되었고, 이어서 제노아, 피사 등의 상업도시가 발달하기 시작했다. 그리고 결국에는 베니스, 제노아, 피사 등의 도시들이 강해진 군사력을 바탕으로 지중해로부터 이슬람 세력을 몰아내고, 11세기에는 지중해를 다시금 활발한 상업의 무대로 만들 수 있었다.

한편, 오늘날의 벨기에 북부에 해당하는 플랑드르에서는 고대부터 양모 공업이 발달해 있었다. 거기에 더 한층 자극을 가했던 사건이 해상상업에 스칸디나비아인들이 진출한 것이었다. 스칸디나비아인들은 뛰어난 항해기술을 바탕으로 발트 해 연안에서 세력을 넓혀가고 있었다. 그리고 11세기부터 그들은 전쟁과 해적활동을 그만두고 해상상업에 전념하게 되었다. 이러한 스칸디나비아인들이 해상상업과 연결되면서 플랑드르의 모직물은 북유럽의 주요한 무역재가 되었다.

이렇게 해서 11세기에 지중해와 발트 해의 상업이 거의 동시에 부활하고, 이에 자극받아 **두 개의 무역권**을 잇는 상업루트가 발달하기 시작했다. 지중해와 발트 해를 연결하는 루트로서 북해와 지브롤터 해협을 경유하는 해상항로를 생각해볼 수 있지만, 당시의 조선기술이나 항해기술을 고려해볼 때 이러한 경로는 너무나 위험성이 컸다. 그래서 발달한 것이 두 상업권을 잇는 육상루트였다. 그리고 이 루트를 따라 **중세도시**가 발달해갔다. 북이탈리아의 밀라노와 베로나, 독일의 라이프치히·프랑크푸르트·함부르크, 오스트리아의 빈, 프랑스의 샹파뉴 지방(트루아, 프로뱅, 라니, 바르-쉬르-오브) 등이 그러하다. 특히 육상루트의 중간부근에 위치한 샹파뉴와 프랑크푸르트에서는 **대규모 시장**[大市]이 열려 지중해

그림 5-1 13세기 유럽의 도시와 육상교통

● 대규모 시장[大市]이 열린 도시

자료: ピエール・ヴィダルナケ, 『世界歷史地圖』, 横山紘一譯(三省堂, 1995); 『圖說世界史』(東京書籍, 1997)을 참조해서 작성함.

상업권과 발트 해 상업권의 물품이 교환되었다. 샹파뉴 등과 같은 대규모 시장은 두 개의 상업권을 잇는 결절점이었던 것이다.

5) 고대·중세 일본의 상업

일본에서 기원전에 상업 활동이 행해졌다는 기록은 없다. 하지만 3세기가 되면 『기시와진덴(魏志倭人伝)』의 야마타이코쿠(邪馬台國)에 대한 부분에서 "나라마다 시장[市]이 있어서, 있는 것과 없는 것[有無]을 교역하고, 다이와(大倭)에게 이것을 감독하게 한다"*라는 기술을 발견할 수 있다.[2] 일본에서도 시장경제는 적어도 천 몇백 년의 역사가 있는 것이다. 상업 활동에 관한 기록은 고대(古代)를 통해 관찰할 수 있지만, 일본에서 시장경제의 비약적인 발전을 가져온 계기는 13세기에 일어났다. 바로 중국에서 대량의 동전(銅錢)이 유입된 사건이다. 남송(南宋)을 멸망시키고 중국 대륙을 통일한 원(元)이 동전의 사용을 금지시키자 중국에서 화폐 기능을 상실한 대량의 동전이 일본으로 수입되었다(그림 5-2). 일본에서는 7~8세기의 후혼센(富本錢)과 와도카이친(또는 와도카이호, 和同開珎) 이후 중앙정부가 수십 년에 한 번씩 새로운 화폐를 발행하고 있었다. 그러나 이러한 고대화폐는 10세기의 겐겐타이호(乾元大宝)를 끝으로 이후 오랜 세월 동안 새롭게 화폐가 발행되지 않았다. 그 때문에 주로 쌀, 비단[絹], 포목[布] 등의 현물이 공권력에서는 물론 일반 사람들에게 널리 사용되어 교환의 매개나 가치의 저장과 같은 화폐 기능을 담당하고 있었다. 이러한 상황에서 일본으로 유입된 중국 동전은 무게에 비해 가치가 높고 분할이나 저장이 쉬워서(화폐로서의 뛰어난 속성이 있어서) 공용 화폐로 널리 사용되었다.

중국 동전의 대량유입은 일본의 세금제도에도 커다란 영향을 미쳤다.

---

* 이 부분의 원문을 살펴보면 다음과 같다. '國國有市交易有無使大倭監之'(역자 주).

중국에서 수입되어 일본에서 유통된 동전(주로 송나라 동전)

| 희녕원보 | 원우통보 | 황송원보 | 영락통보 |

자료: 日本銀行金融硏究所貨幣博物館.

13세기까지 주로 쌀, 비단, 포목 등으로 징수되던 **장원영주**에 대한 연공을 동전으로 납입하도록 한 것이다. 이것을 **금납제**라고 부른다. 금납제는 시장경제의 발달을 촉진시킨다. 동전으로 조세를 징수한 장원영주는 그것으로 시장에서 필요한 물자를 구입하고, 장원영주에게 연공을 납부해야 하는 장원의 관리자[쇼칸(莊官), 다이칸(代官)]들은 동전을 손에 넣기 위해 어떻게 해서든지 생산물을 시장에 처분해야 하기 때문이다.

쇼칸* 등이 연공에 충당하기 위해 장원에 거주하는 사람들로부터 현물로 징수한 재화들을 판매하는 것에는 두 가지 방식이 존재했다. 하 나는 현지에서 판매하는 것이고, 또 하나는 기나이(畿內)** 주변의 항구 도시까지 운반해 가서 징수한 현물을 판매하는 방식이었다. 기나이 주변의 항구 도시로는 오사카 연안의 효고(兵庫), 아마가사키(尼崎), 사카이(堺) 등과 비와 호(琵琶湖)*** 주변의 오쓰(大津), 사카모토(坂本) 등이 있었다. 그리고

---

　* 일본의 장원제에서 장원영주로부터 현지를 관리하도록 권한을 부여받은 직책을 총칭하는 말(역자 주).

　** 지금의 교토(京都) 근방 지역을 가리키는 말로서 야마시로(山城), 야마토(大和), 가와치(河內), 이즈미(和泉), 세쓰(攝津) 지방의 총칭이다(역자 주).

*** 일본 시가(滋賀) 현의 중앙부에 위치한 일본에서 가장 큰 호수로, 면적은 670.5평방킬로미터, 최고 수심은 104미터에 이른다(역자 주).

이러한 항구도시에서는 현물의 형태로 전국 각지로부터 징수되어온 연공을 보관·운송·판매하는 **도이마루**(問丸)라고 불리는 사람들이 있었다. 그들 중에서는 연공과 관계없이 상업 기능을 특화해서 **근세의 돈야**(問屋)*로 성장해가는 경우도 있었다.

6) 막번체제와 시장경제

중세의 일본에서는 전국에 분산되어 있는 장원이 각각 다른 중앙 영주의 지배 아래 있었다. 즉, 지방의 넓은 한 지역이 단일한 권력에 의해 통치되는 것이 아니라 비교적 협소한 영역(장원)이 따로따로 중앙에 있는 제각각의 유력자들(조정, 귀족, 절과 신사)과 연결되어 있었다. 이러한 상황이 변화하게 된 것은 16세기 전국시대에 들어와서이다. 전국의 다이묘(大名)**들은 강한 군사력을 배경으로 넓은 영역에 걸쳐 일원적인 통치를 확립해나갔다. 다이묘는 국력을 증강시키기 위해 **조카마치**(城下町)***를 건설함과 동시에, 자신의 영역 내에서 세키쇼(關所)****와 통행세를 폐지하고 상업을 진흥시켰다. 그리고 각 영주들이 다스리던 영국(領國)의 경제와

---

* 가마쿠라(鎌倉), 무로마치(室町) 시대에 화물을 보관·운송·판매하던 업자들, 즉 도이마루 중에서는 에도시대에 항구에서 숙박업을 경영하며, 화물의 운송이나 중개 매매를 담당하는 업자로 성장해나가는 경우도 있었다. 도이마루의 후신인 이들 업자를 돈야라고 불렀다(역자 주).
** 전국시대 일본의 각지에서 할거하던 대영주(역자 주).
*** 봉건영주가 기거하던 성을 중심으로 그 근방에 발달한 시가(역자 주).
**** 요충지나 국경에 설치해서 통행인과 통행화물 등을 검사해 세금을 징수하거나 침입을 막던 곳(역자 주).

공업 생산이 집적되어 있던 기나이 지역 사이에는 분업관계가 형성되었다.

이러한 다이묘들의 영국 지배를 전제로, 그 분권성을 약화시키면서 17세기에 최초로 도쿠가와 이에야스(德川家康)가 전국통일을 달성했다. 약 260년간 지속된 도쿠가와 막부하의 시장경제는, 도쿠가와 막부의 정책 아래 특징적인 형태를 보이면서 발달했다. 시장경제에 영향을 미친 도쿠가와 막부의 정책으로 가장 먼저 **병농분리**(兵農分離)와 **상농분리**(商農分離)를 들 수 있다. 그 결과로 무사, 농민, 초닌(町人)* 신분이 명확히 구별되어 무사와 초닌은 조카마치에, 농민은 농촌에 각각 살게 되었다. 그리고 조카마치와 주변 농촌 간에는 분업관계가 형성되었다.

두 번째는 **고쿠다카**(石高)제를 들 수 있다. 막번체제에서 연공은 쌀을 현물로 거두어들이는 것이었다. 그렇기 때문에 다이묘는 징수한 쌀을 시장에서 판매하고, 그 대가로 얻은 화폐를 이용해 필요한 공업제품 등을 구매하는 데 사용했다. 당시 최대의 쌀시장은 오사카에 있었다. 각각의 번(藩)은 연공미를 오사카에 보내고, 그곳에 저장소(藏屋敷, 구라야시키)를 설치하여 연공미를 관리하고 판매했다. **오사카의 도지마**(堂島) 쌀시장은 세계적으로 가장 오래된 선물시장으로 알려져 있다(그림 5-3). 도지마 쌀시장에서 현물과 선물 간의 가격차를 이용한 효율적인 거래가 이루어지고 있었다는 것은 이미 널리 알려진 사실이다.

오사카에서 연공미를 판매해서 얻은 수입 중 일부는 각 조카마치에서 필요한 공업제품 등을 구입하는 데 사용되었다. 한편, 또 다른 일부는 다른 번에서 생산되는 물품을 구입하는 데에도 지출되었다. 즉, 근세 일본

* 에도시대에 도시에 거주하던 상인·장인 신분의 계층을 일컫는 말로서 무사나 농민계급과 구별되는 신분이다(역자 주).

그림 5-3 도지마 쌀시장

자료: 歌川廣重(1796~1858)의 작품(大阪府立中之島도서관 소장).

에서는 번의 영역 내 지역 간 분업(농공 간 분업)에 더해서 **번 영역 간의 분업**이 발달해갔던 것이다. 번 영역 간 최대 분업은 각 번과 오사카·교토 간의 분업이었다. 오사카와 교토는 중세 이래 선진적인 공업의 집적지로 서 그 지위를 유지해오고 있었다. 각 번은 연공미의 판매 수입으로 오사카 와 교토에서 공업제품을 구입했다. 에도*는 인구규모로 볼 때 오사카와 교토를 능가하는 최대의 도시였지만 그 성격은 매우 달랐다. 막부에 의한 산킨코타이(參勤交代) 제도** 때문에 다이묘의 처자들은 에도에 거주해야 했고, 다이묘 자신도 격년으로 에도에 거주하고 있었다. 그 결과, 에도는

---

* 도쿄의 옛 지명(역자 주).

** 에도시대에 막부가 다이묘들을 통제하기 위해 실시한 제도이다. 전국의 다이묘들 은 격년제로 에도로 출사(出仕)해야 하고, 다이묘들의 처자는 인질로 에도에 거주해야 했다(역자 주).

그림 5-4　슈몬아라타메초의 예

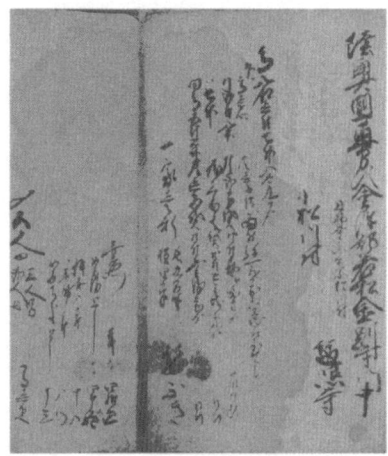
○ 기록사례

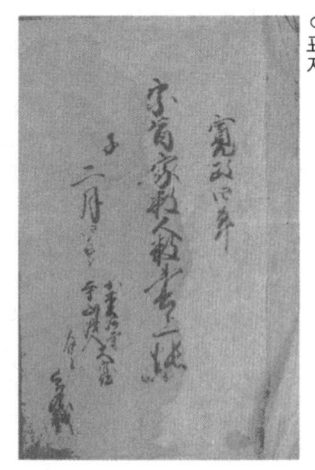
○ 표지

에도시대의 일본에서는 슈몬아라타메초로 총칭되는 고문서 사료가 17세기 말부터 19세기 중엽의 메이지(明治) 초까지 전국적으로 작성되었다. 예를 들면, 무쓰노쿠니(陸奧國)의 아이즈(會津) 군과 오누마(大沼) 군 그리고 시모쓰케노쿠니(下野國)의 시오야(塩谷) 군[현재 후쿠오카(福岡) 현의 미나미아이즈(南會津) 군과 오누마(大沼) 군, 그리고 도치기(栃木) 현의 시오야(塩谷) 군에 해당된다]의 일부를 포함하는 미나미야마오쿠라이리(南山御藏入) 지역에서는 1694년(또는 1695년)부터 1870년까지 매년 마을별로 나누시(名主, 에도시대의 촌장 - 역자 주)의 손에 의해 작성된 슈몬아라타메초가 다이칸조(代官所, 에도막부에서 파견된 관리가 행정사무를 보던 곳 - 역자 주)와 자택에 한 부씩 보관되었다. 미나미야마오쿠라이리 지역에 속하는 무쓰노쿠니 아이즈군 고마쓰가와(小松川) 마을에는 분실된 9년분을 제외하고 1792년부터 1868년에 이르는 77년간의 슈몬아라타메초가 보존되어 있다. 이 사료에는 기재 단위별로 단나데라(旦那寺, 조상대대로 위패를 모셔두고 시주하는 절 - 역자 주)의 계통관계, 소재지, 종파, 단나데라의 명칭, 재산, 부채, 가옥의 규모, 지붕의 재료, 구성원의 이름, 호주와의 관계, 연령, 이동, 소와 말의 수, 세대 규모 등이 기록되어 있다. 위의 그림(1792년, 종파·가옥 수·사람 수를 기록한 대장, 고마쓰가와 마을 이외의 4개 지역)에서는 단나데라: 신곤슈헨쇼지(眞言宗遍照寺), 재산: 8178고쿠(石, 약 180리터 - 역자 주), 가옥 규모: 9.5간(間, 약 1.8미터 - 역자 주)×4.5간, 지붕 재료: 억새풀, 호주: 기우에몬(44세), 처: 토시(45세), 자: 기하치(18세), 치요(13세), 기스케(8세), 가족수: 남자 3명, 여자 2명, 말 1필 등과 같은 사항이 기재되어 있다.

자료: 帝塚山大學経營情報學部　川口洋研究室,「江戶時代における人口分析システム(DANJYURO)」(http://kawaguchi.tezukayama-u.ac.jp)에서 인용.

거대한 **정치·소비 도시**로서 성장하게 되었다. 공업 도시인 동시에 쌀의 집산지이기도 했던 **오사카와 에도 간의 물류**는 근세 일본 경제에서 최대의 동맥(動脈)과도 같은 것이었다.

7) 근세 일본의 경제성장

이러한 구조에서 근세의 일본 경제는 어느 정도 성장했던 것일까? 통계가 잘 정비되어 있지 않은 근세에 대해서 경제의 거시적인 성장을 측정하는 것은 쉽지 않지만, 몇 가지 추계된 결과들이 있다. 하나는 인구에 대한 추계이다. 근대의 호적에 해당하는 『슈몬아라타메초(宗門改帳)』를 이용한 역사인구학 연구에 따르면, 오랫동안 1800만 명 정도로 생각되어 왔던 17세기 초의 인구가 1200만 명 정도까지 큰 폭으로 하향 수정되었다. 이것은 그 이후의 근세에서 인구성장률이 큰 폭으로 상향 수정되었다는 것을 의미한다. 즉, 1600년에 약 1200만 명이던 인구가 1730년에 3208만 명으로 급격히 증가했다. 그 이후에 인구는 한동안 감소하는 경향을 보이는데, 도시화에 동반되는 위생상태의 악화와 그에 따른 사망률의 상승 등을 그 배경으로 생각해볼 수 있다. 1800년에 3065만 명까지 감소했던 인구는 거기서부터 다시 한 번 상승하기 시작해, 1872년에는 3311만 명까지 이르렀다.

또 한 가지 거시적 경제발전의 지표로서 실질화폐잔고를 생각해볼 수 있다(그림 5-5).[3] 이 지표는 시장경제에 초점을 맞추어 규모를 측정할 수 있다는 데에 그 특징이 있다. 실질화폐잔고는 1725년 이후의 자료밖에 얻을 수 없지만, 그 시기에 한정해서 보면 위에서 설명한 인구의 변동과

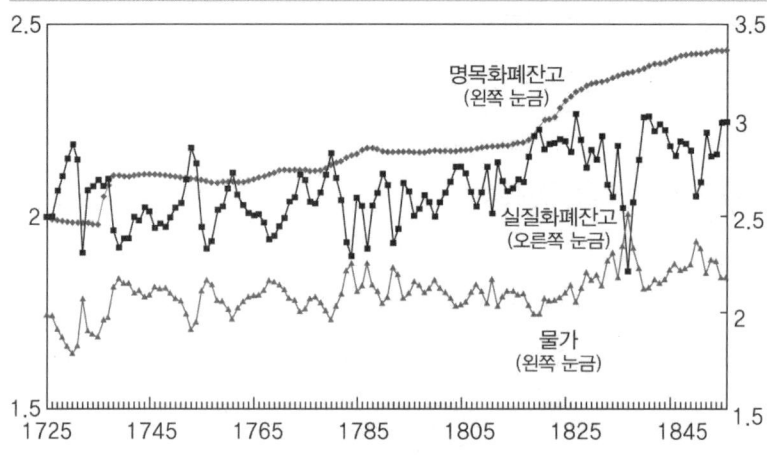

그림 5-5 18~19세기의 경제성장

주: 각각은 1725년(=100)을 기준으로 작성한 지수의 로그값임.
자료: 岡崎哲二, 「近世日本の經濟發展と株仲間」(岡崎哲二編, 『取引制度の經濟史』, 東京大學出版會, 2001년). 원자료의 출처는 明石茂夫, 「近世後期經濟における貨幣, 物價成長: 1725~1856」(『經濟研究』, 40(1), 1989, pp. 42~51).

거의 일치하고 있다. 즉, 1725년부터 1790년까지의 (매년 그 해의 변동분을 제거한) 실질화폐잔고에서는 성장추세를 확인할 수가 없다. 이는 18세기의 시장경제가 정체해 있었다는 것을 시사하는 것이다. 한편, 1790년 이후부터는 명확한 성장 추세가 발견된다. 1791~1856년의 연평균성장률은 0.7%로 나타났고 이러한 비율로 시장경제가 지속적으로 성장했다는 것을 알 수 있다.

지금까지 이 절에서는 유럽과 일본의 고대부터 중세와 근세까지의 시장경제의 역사를 지극히 간략하게 살펴보았다. 그리하여 어떤 지역에서도 일찍부터 각각의 특징적인 형태를 띠면서 시장경제가 발전해왔다는 것을 알 수 있었다. 다음의 2절과 3절에서는 유럽과 일본의 어떤 특정한 시기에 초점을 맞춰서 시장경제의 발전을 지지한 제도적 조건에 대해서 생각해본다.

2. 중세 지중해 상업의 비교역사제도분석

1) 애브너 그라이프의 문제제기

제4장에서도 이미 한 차례 설명한 미국의 경제사학자 애브너 그라이프는 11세기 지중해 세계의 '상업의 부활'이라는 문제에 주목했다. 그는 중세 지중해의 무역을 깊이 있게 고찰하여 경제사 연구에 중요한 방법적인 진전을 가져다주었다. 그의 대표적인 논문 중 하나가 「초기상업에서 계약의 집행가능성과 경제제도 - 마그리비 상인의 결탁」[4]이다. 이 논문에서 그라이프는 "상업의 부활을 가능하게 만든 제도는 무엇일까?"라는 질문을 던지고 있다.

확실히 피렌의 생각대로 유럽인들이 이슬람 세력에게서 지중해의 지배권을 다시 찾아온 것은 상업의 부활을 위해 필요한 전제조건이다. 그러나 그것만으로 상업이 부활하기에 충분한 조건이 될 수는 없다. 지중해 전체를 포괄하는 통일적인 국가가 형성되어 있었던 것도 아니었으며, 각 지역을 지배하고 있던 영주들이 외국 상인들과 계약을 맺을 때, 그 계약을 적절히 보호할 수 있는 장치를 구비하고 있지도 않았기 때문이다. 이 점만큼은 비록 11세기 이후라 해도, 그 환경이 고대의 로마제국시대보다도 불리한 것이었다고 말할 수 있다.

그렇다면 11세기의 지중해 세계에서 어떻게 활발한 상업이 이루어질 수 있었던 것일까? 노스처럼 계약집행을 보호할 수 있는 제도를 국가에서 찾는 입장에서 바라본다면, 이는 답하기 어려운 퍼즐과도 같은 문제이다. 이에 대해 그라이프가 제시한 답은, 간단하게 말해, 국가에 의한 소유권 보호가 효과적으로 작동하지 않는 환경에서는 **사적인 제도**가 계약의 집행을 보호하는 기능을 한다는 것이다. 그는 11세기의 지중해 상업을 담당하고 있었던 **마그리비**라고 불리는 상인집단에 관한 역사적 자료에 기반을 두고, 사적인 제도에 의한 계약집행보호의 메커니즘을 이론적인 모델로 표현했다.

2) 마그리비 상인의 '다각적 징벌전략'

마그리비는 10세기 초에 바그다드에서 북아프리카로 이주한 유대인들의 자손을 뜻하는 말이다. 그들은 유대인이었지만 이슬람교적인 언어와 문화에 동화되어 있었다. 또한 그들은 지중해 연안에서 **원격지 무역**에 종사하고 있었다. 원격지 무역에서는 한 명의 상인이 무역에 관계된 모든 과정을 관리하는 것이 어려웠기 때문에 원격지에 있는 다른 상인(대리인, 에이전트)을 고용해서 그들에게 자금과 상품을 위탁하는 거래를 하고 있었다. 그런데 원격지에서 활동하는 상인(대리인)을 감시하는 것은 쉽지 않았고, 이는 곧 위탁한 자금이나 상품이 언제나 횡령당할 가능성이 있다는 것을 의미하기도 했다. 만일 위탁한 자금이나 상품이 원격지의 상인에게 횡령당할 가능성이 높다면, 상인은 처음부터 그 점을 예상해서 원격지의 상인과 계약을 맺지 않으려고 할 것이다. 그렇게 되면 원격지 무역은 원활하게 이루어질 수 없고, 시장경제 역시 발전할 수 없게 된다.

이러한 문제는 제4장에서 다루었던 **커미트 문제**에 해당한다. 즉, 상인과 원격지에 있는 다른 상인 사이에 주안대리인 관계가 성립하기 위해서는, 대리인이 주인의 감시의 눈길이 미치지 않는다는 점을 이용해서 부정한 행위를 저지르지 않겠다고 하는 커미트를 할 필요가 있다. 다시 말해, 부정한 행위를 하지 않고 성실히 업무를 수행하는 편이 대리인에게 유리할 수 있도록 하는 조건을 만들 필요가 있는 것이다. 예를 들어보자. 혼란의 여지가 있으므로 이제부터 원격지의 상인을 대리인으로 지칭한다. 만일 국가가 계약집행 기능을 담당하고 있다면, 대리인이 부정한 행위를 했을 때 상인은 국가에 호소하여 손해배상을 받을 수 있을 뿐만 아니라 대리인은 형사처벌을 받게 된다. 그리고 이러한 제도는 대리인이 성실하게 행동하는 편이 유리하다고 생각하게 하는 조건이 된다. 즉, 국가에 의한 계약집행은 대리인이 성실한 행동을 약속할 수 있도록 한다.

그러나 11세기의 지중해 세계에서는 이러한 국가의 기능을 기대할 수가 없었다. 그라이프는 먼저 마그리비 상인이 남긴 계약서와 편지 등과 같은 문서를 통해 그들이 **결탁**(coalition)을 조직해서 다음과 같은 행동양식을 취하고 있었다는 것을 밝혀냈다.

① 상인은 임금을 지불하고 대리인을 고용하며, 그 대리인이 부정한 행위를 하지 않았다면 파산 등의 어쩔 수 없는 사정에 의한 경우가 아니라면 그다음에도 동일한 대리인을 고용한다.

② 상인은 대리인이 부정한 행위를 했을 경우, 그 대리인을 해고하고 두 번 다시 고용하지 않는다.

③ 부정한 행위를 한 대리인을 해고한 상인은, 잠재적인 대리인 후보자 중에서 과거에 자신뿐만이 아니라 상인그룹 멤버의 그 누군가에 대해서도 부정한 행위를 한 적이 없는 대리인만을 고용한다.

그라이프는 이러한 행동양식을 **다각적 징벌전략**(Multilateral Punishment Strategy: MPS)이라고 불렀다. 그 이유는 ③에서 알 수 있듯이, 대리인의 부정한 행위로 피해를 입은 해당 상인은 물론이고 결탁을 맺고 있는 다른 상인들도 부정한 행위를 한 대리인을 고용하지 않기 때문이다. 즉, 결탁을 맺고 있는 구성원 모두는 부정한 행위를 징벌하는 것에 참가하고 있는 것이다.

3) 게임의 균형으로서의 제도

그라이프의 가장 큰 공헌은 단지 이러한 행동양식을 당시의 여러 문서에서 밝혀냈다는 것에만 있지 않다. 그는 이러한 행동양식을 게임이론을 이용해서 모델화하고 당시의 역사적 조건에서 그것이 게임의 균형이 되었다는 것을 설명했다. 즉, 개개인의 상인이 이러한 행동양식을 취하는 것이 가장 유리한 전략이었다는 점을 증명한 것이다. 그라이프의 설명을 개략적으로 소개하면 다음과 같다.

대리인은 성실하게 행동할 경우, 임금 W만큼을 상인에게서 받을 수 있고, 다음 기(期)에도 높은 확률로 동일한 상인에게 고용되어 임금 W만큼을 받을 수 있다. 다시 고용될 확률이 100%가 되지 않는 이유는, 상인이 중간에 파산하는 상황처럼 어쩔 수 없이 대리인을 계속해서 고용할 수 없는 경우가 발생할 가능성이 있기 때문이다. 상인에게 고용되지 않은 대리인이 $\bar{w}(<W)$의 수입을 벌어들일 수 있다고 가정하자. 한편 부정한 행위를 했을 경우, 이번 기에는 W보다는 큰 α라는 '부당이득'을 얻을 수 있지만, 다음 기 이후에는 고용될 확률이 낮아진다. 이러한 상황에서 상인이 대리인의 부정한 행위를 피하기 위해서는 어떻게 하는 것이 좋을까?

한 가지 방법은 고용할 때 대리인에게 충분히 높은 임금 W를 지급하는 것이다. 왜냐하면 높은 임금은 부정을 저지를 경우 대리인이 받을 수 있는 미래의 손실을 크게 만드는 효과가 있기 때문이다. 부정한 행위를 했을 때, 이번 기에는 확실하게 큰 이득인 α를 얻을 수 있지만 그 대신 다음 기부터 임금 W를 받을 수 있는 기회를 날려버리고, 그보다 낮은 소득 $\bar{w}$에 만족할 수밖에 없다. 경제학적인 용어를 사용해서 표현하면, 높은 임금은 부정을 저지르는 기회비용이 대리인에게 높다는 것을 의미한다.

물론 한편으로 높은 임금을 지불하는 것은 상인의 부담을 증가시키는 것을 의미하므로 대리인에게 부정을 저지르는 것이 불리하게 되는 최소한의 수준으로 W를 결정하는 것이 상인에게는 최적화된 행동이다. 이러한 최저수준의 임금을 W^*라고 하자. 이제 다각적 징벌전략이 게임의 균형이 되고 있음을 보이기 위해서는, 임금수준 W^*를 부정한 행위를 한 적이 없는 대리인과 부정한 행위를 한 적이 있는 대리인 사이에 비교했을 때, 전자가 후자보다 낮은 수준에 있다고 증명할 수 있으면 된다. 부정을 저지른 적이 없는 대리인한테서는 낮은 임금으로도 (이번 기에) 성실한 행동을 이끌어낼 수 있기 때문이다.

우선 부정한 행위를 한 적이 없는 대리인을 생각해보자. 그가 만일

이번 기에 부정한 행위를 한다면, 앞서 설명했듯이 성실하게 행동했을 경우에 얻을 수 있었던 미래의 수입을 전부 공중에 날려버리게 된다. 더군다나 다각적 징벌에 의해 다른 상인들에게 고용될 수 있는 가능성도 거의 없어지므로 부정한 행위를 저지른 경우의 기회비용은 다각적 징벌이 없는 경우에 비해서 훨씬 커지게 된다. 따라서 부정한 행위를 한 적이 없는 대리인에게서는 비교적 낮은 W^*에서도 성실한 행동을 이끌어낼 수 있다.

한편, 부정한 행위를 한 경력이 있는 대리인의 경우는 어떻게 될까? 이 경우 다각적 징벌전략하에서 이번 기에 부정한 행위를 할지 말지와 상관없이 이미 부정을 저지른 경력이 있기 때문에 다음 기부터 상인 집단의 그 누군가에게 고용될 확률은 지극히 낮은 수준이 된다. 그 때문에 이번 기에 부정을 저지르더라도 그것으로 잃어버리게 될 미래의 이득은 얼마 되지 않는다. 그러므로 부정한 행위를 한 경력이 있는 대리인이 이번 기에 성실하게 행동하도록 하기 위해서는 높은 수준의 임금 W^*를 지불해야 할 필요가 있다. 지금까지 살펴본 바와 같이, 부정한 행위를 저지른 경력이 없는 대리인이 부정한 행위를 저지른 경력이 있는 대리인보다 상대적으로 낮은 임금으로 성실한 행동을 하도록 이끌어낼 수 있다. 따라서 상인은 외부로부터의 강제가 없어도 부정을 저지른 경력이 없는 대리인만을 골라서 고용한다는 결과가 도출된다. 이것은 상인들이 다각적 징벌전략을 선택할 인센티브를 충분히 가지고 있고, 다각적 징벌전략이 곧 **게임의 균형**이 된다는 것을 의미한다.

이상의 추론에서 중요한 것은 **대리인의 부정한 행위에 대한 경력**이 결탁을 맺고 있는 구성원들 간에 주지되어야 한다는 점이다. 부정한 경력에 관한 정보를 가지고 있기 때문에, 상인은 어떠한 대리인과도 그 정보를 바탕으로 고용조건을 판단할 수 있다. 또한 그뿐만이 아니라 결탁을 맺고 있는 모든 상인들이 어떤 특정한 대리인의 부정한 경력을 알고 있다는 것을 모든 상인들도 알고 있기 때문에, 자기 이외의 다른 상인들이 그 대리인에게 취할 수 있는 행동을 예측할 수 있고 그러한 예측을 기반으로 하여 자신의 행동도 결정할 수 있다.

그런 의미에서 상인들이 맺고 있는 결탁 내부에서 **정보 네트워크**의 존재가 다각적 징벌전략의 기능을 위해 상당히 중요하다고 말할 수 있다. 마그리비 상인은 결탁을 조직하고 다각적 징벌전략이라는 제도를 도입함으로써 비교적 낮은 임금으로 대리인의 성실한 행동을 이끌어낼 수 있었다. 또한 그러한 제도를 통해 국가에 의한 계약집행이 존재하지 않았던 11세기의 지중해 세계에서 원격지 무역을 담당하는 것이 가능했다. 이것이 '상업의 부활'을 가능하게 만든 (적어도 일정 부분에서만큼은) **제도적 기초였던 것이다.**[5]

3. 근세 일본에서 가부나카마의 기능

1) 사법제도

일본에서도 근대 이전부터 시장경제가 발달하고 있었다는 점과 특히 18세기 말 이후 경제가 지속적으로 확장되어 나갔다는 사실 등에 대해서는 이미 1절에서 살펴보았다. 그런데 이러한 경제발전이 가능했던 이유는 무엇일까? 더글러스 노스의 주장대로 국가에 의한 소유권 보호와 계약집행이 유효하게 기능하고 있었던 것일까? 혹은 애브너 그라이프가 11세기의 지중해 세계에 대해 설명하고 있는 것처럼, 일본도 국가에 의한 소유권 보호나 계약집행이 제대로 기능하고 있지 않는 가운데 사적인 제도가 그러한 계약집행을 가능하게 한 것일까?[6]

근세 일본의 막번체제에서는 막부와 번 모두가 정비된 관료기구와 강제력을 갖추고 있었고, 안정된 정치체제는 그 후로 약 260년에 걸쳐 지속되었다. 이러한 정치적 안정이 경제발전의 전제가 된다는 것은 말할 것도 없다. 이 점에서 11세기의 지중해 세계와 비교할 때 근세 일본에서는 국가권력이 훨씬 발전해 있었고, 시장경제라는 틀에서도 국가의 기능이 그만큼 컸다고 할 수 있다. 그렇다고 해서 국가가 제공하는 시장경제의 틀만으로 충분했는가 하면 그렇지는 않았다. 그 점을 이해하기 위해 우선 근세 일본의 사법제도를 살펴보자.

근세 일본은 근대국가와 같은 삼권분립의 시스템을 갖추고 있지는 않았고, 사법권과 행정권이 일체화되어 있었다. 즉, 막부의 행정기관인 지샤부교(寺社奉行), 마치부교(町奉行), 간조부교(勘定奉行)가 재판소의 기능도 겸하고 있었다. 지샤부교는 절과 신사 및 절·신사가 관할하고 있던 지역의 행정과 재판을 담당했다. 마치부교는 에도와 오사카의 행정과 재판을 담당했으며, 간조부교는 막부 재정과 막부가 직접 통치하고 있는 지역의 행정과 재판을 담당했다. 모든 번의 영내(領內) 행정과 재판은 각각의 번에서 담당했다. 재판은 오늘날과 마찬가지로, 형사재판에 해당하는 긴미스지(吟味筋)와 민사재판에 해당하는 데이리스지(出入筋)로 구분되어 있었다. 긴미스지는 범죄가 발생한 경우, 고소의 유무에 관계없이 부교쇼(奉行所)가 범인을 체포하고, 범행을 조사한 뒤에 재판이 행해졌다. 오늘날의 형사소송과도 마찬가지로 직권심리주의(職權審理主義)가 행해지고 있었던 셈이다. 한편, 데이리스지는 오늘날의 민사소송과 마찬가지로 원고가 재판기관에 소장을 제출하는 것으로 재판절차가 개시되었다.

2) '상대제령'*의 경제적 의미

여기에서 주목하는 것은 계약집행과 관계 있는 데이리스지이다. 데이리스지는 혼쿠지(本公事), 가네쿠지(金公事), 나카마고토(仲間事)로 각각 구분되었다. 이 중에서 가네쿠지는 이자가 붙는 차입금이나 외상판매 대금 등에서 무담보의 금전채권에 관한 소송이고, 나카마고토는 사적인 조직에서 구성원 상호 간의 이익분배에 관한 소송을 가리킨다. 혼쿠지는 가네쿠지, 나카마고토 이외의 데이리스지를 의미한다. 주목해야 할 부분은, 막부가 이러한 세 가지 종류의 소송에 대해 각각 다른 강도의 차별적인 계약보호를 행하고 있었다는 점이다.

가장 엄격하게 보호된 것은 혼쿠지의 대상이 되는 사건으로 그 소송은 원칙적으로 전부 수리되었다. 한편, 가장 약하게 보호되었던 것은 나카마고토에 해당하는 사건인데 원칙적으로 막부는 소송을 수리하지 않고 당사자 간에 분쟁을 해결하도록 했다. 시장경제의 발전과 가장 관계가 깊은 가네쿠지는 양자의 중간쯤에 위치했다. 가네쿠지에 관한 소송은 통상적으로 수리되었지만, 때때로 수리가 되지 않는 경우도 있었다. 예를 들면, '상대제령'이 발령된 경우가 그러했다.

* 아이타이스마시레(相對濟令)(역자 주).

상대제령은 가네쿠지에 관한 분쟁에서 '상대', 즉 당사자 간에 분쟁을 해결하도록 하는 법령이다. 이 법령은 초닌에게 빌린 차입금으로 궁지에 몰린 무사들을 구제하기 위한 것이었다고 해석되고 있다. 물론 그러한 측면이 전혀 없지는 않았지만, 경제학적인 관점에서 보면 상대제령에는 또 다른 중요한 의미가 포함되어 있다. 가네쿠지 관계의 분쟁에 관한 소송이 수리되지 않고 있다는 것은, 국가에 의해 계약집행이 이루어지지 않고 있다는 것을 의미하기 때문이다. 상대제령은 에도시대, 그중에서도 1661년, 1663년, 1682년, 1685년, 1702년, 1719년, 1746년, 1789년, 1797년, 1843년의 총 10회에 걸쳐 발령되었다. 근세 일본에서 국가권력에 의한 계약집행은 완전하지 못한 것이었다고 말할 수 있다.

3) 가부나카마의 조직과 기능

그렇다면 왜 이러한 열악한 조건하에서도 (1절에서 검토한 것과 같이) 시장경제의 발전이 가능했던 것일까? 혹시 11세기의 지중해 세계와 마찬가지로 사적인 제도가 계약집행의 기능을 담당하고 있었던 것은 아닐까? 필자는 **가부나카마**라고 불린 조직이 그러한 기능을 하고 있었다고 생각한다. 가부나카마는 **공권력에 의해 특정 지역의 특정 사업에 관한 영업특권을 인정받은 상인이나 수공업자 집단**을 말한다. 가부나카마는 근세 일본의 독특한 조직으로서 오랫동안 연구자들의 관심을 받아왔다. 가부나카마는 일종의 상인길드(Merchant Guild)로서 '요리아이(寄合)'라는 의사결정기관과 '교지(行司)'라는 집행기관을 두고 있었다.

미야모토 마타지(宮本又次)가 쓴 『가부나카마의 연구』는 제2차 세계대전 이전에 발간된 저서로서, 가부나카마 연구에 관한 고전이라고 할 수 있다. 이 책에 의하면 도쿠가와 막부는 당초 도요토미 히데요시(豊臣秀吉)의 라쿠이치라쿠자(樂市樂座)정책*을 계승해서 상인과 장인들 간에 결탁을 금지하는 정책을 실시하고 있었다. 그러나 그러한 정책은 17세기 중반부터 변질되기 시작했다. 즉, 가부나카마를 **공인**함과 동시에 18세기 초에는 오히려 가부나카마의 결성을 정책적으로 장려하고, 유통과 가격통제를 위해 가부나카마를 이용하기까지 이르렀다. 가부나카마의 결성이 급속히 진전된 것은 다누마 오키쓰구(田沼意次)가 로주(老中)**로서 막부의 실권을 장악하고 있던 1770~1780년대의 이른바 '다누마시대(田沼時代)'였다. 다누마는 가부나카마에게 징수하던 세금〔운조킨(運上金), 묘가킨(冥加金)〕으로 막부의 재정기반을 튼튼히 하고, 가부나카마를 넓은 범위에 걸쳐서 조직함으로써 상품유통 기구의 정비를 도모했다. 다누마는 뇌물정치를 행했던 로주로 알려져 있는 탓에 일반인에게는 낮은 평가를 받고 있지만, 1절에서 보았듯이 근세 일본에서 지속적인 경제발전기로 이행하는 18세기 말이 다누마시대와 일치하는 점은 주목할 만하다.

『가부나카마의 연구』에서 미야모토는 가부나카마의 기능을 '**독점기능**', '**권익옹호기능**', '**조정기능**', '**신용유지기능**'의 네 가지로 구분했다. 독점기능이라는 것은 동업자의 수를 제한하고, 가격이나 판매수량 등을 협정하는 것을 가리킨다. 가부나카마의 기능으로서 일반적으로 상정되는

---

 * 다이묘들이 상인들을 자신의 치하에 모여들게 하기 위해, 조카마치나 중요 도시에서 예전부터 내려오던 독점적인 이치(市), 좌(座)의 특권을 폐지하고, 새로운 상인에게도 자유로운 영업을 할 수 있는 권리를 부여하는 정책(역자 주).
 ** 에도막부의 쇼군 직속으로 정무를 담당하던 최고책임자(역자 주).

것이 바로 이 독점기능이다. 주목할 만한 것은 '권익옹호기능'과 '조정기능'으로 분류되어 있는 것들 중에서 계약집행에 관한 기능이 포함되어 있다는 점이다. 예를 들면, 1741년에 제정된 오사카의 소금 돈야나카마(問屋仲間)*의 규약에는 다음과 같은 취지의 조항이 있다. "돈야로부터 소금을 구입하는 중개인 중에서 대금에 관한 부정을 저지른 자가 있을 경우에는, 상인길드(돈야나카마)의 모든 구성원이 부정을 저지른 중개인과 일절 상거래를 해서는 안 된다"라는 것이다. 부정행위를 저지른 중개인 때문에 손해를 본 돈야가 그 중개인과의 거래를 중지하는 것은 물론, 상인길드의 모든 구성원들도 그 중개인과의 거래를 중지한다는 점이 특징적이다. 이것은 2절에서 살펴본 마그리비 상인의 다각적 징벌전략과도 일치한다. 다각적 징벌전략과 동일한 특징을 보이는 가부나카마의 규약은 비단 오사카의 소금 돈야나카마의 사례뿐만이 아니다. 다양한 돈야나카마, 중매(仲買) 나카마 등이 상거래에서 거래 상대의 부정한 행위에 대한 다각적 징벌을 규정하고 있다.

2절에서 언급했듯이, 다각적 징벌전략이 게임의 균형이 되기 위해서는 거래 상대방의 부정한 경력이 (징벌에 참여하고 있는) 모든 멤버들에게 주지되어야 할 필요가 있다. 이러한 조건은 근세 일본의 가부나카마에서도 만족되고 있었던 것일까? 그렇다고 생각해도 좋은 이유를 몇 가지 들 수 있다. 첫 번째는 앞에서도 말했듯이, 가부나카마가 특정지역에서 특정사업에 관한 동업자들의 집단이었다는 점이다. 두 번째는 그러한 집단의

---

* 소금의 운송·중개·매매를 하는 동업자 집단, 즉 상인길드를 뜻한다. 본문에서 사용된 돈야나카마와 가부나카마는 크게 보아 상인길드를 뜻하는 것으로 동일하게 쓰이고 있다고 보아도 무방하다(역자 주).

규모 자체가 그렇게 크지는 않았다는 것이다. 히가키카이센즈미 돈야나카마(菱垣廻船積問屋仲間)라고 불리던 상인길드는 히가키카이센(菱垣廻船)이라는 에도-오사카 간을 운항하는 화물선을 이용하는 가부나카마들로 구성된 가부나카마의 연합체였다. 1813년 시점에서 이러한 히가키카이센즈미 돈야나카마에는 모두 63개의 가부나카마가 가맹되어 있었다. 그리고 각 가부나카마에 소속되어 있는 구성원 수의 평균을 구해보면 약 31명이었다. 세 번째로, 대부분의 가부나카마는 부정한 행위가 적발되었을 경우에 그 사실을 다른 구성원들에게 알리는 공식적인 절차가 존재했다. 거래 상대방의 부정한 행위로 피해를 입은 당사자는 가부나카마의 교지에게 보고를 하고, 교지는 그러한 사항을 담은 문서를 다른 멤버들에게 회람시키는 방법으로 상인길드 내의 모든 구성원에게 연락을 취하도록 되어 있었다.

4) 자연실험으로서의 덴포 개혁

근세 일본의 가부나카마를 대상으로 하는 역사비교제도분석은 특별한 의미가 있다. 가부나카마의 사례는 다각적 징벌전략의 기능을 실증적으로 테스트해볼 수 있는 좋은 기회를 제공해주기 때문이다. 앞에서도 언급했듯이, 가부나카마는 18세기에 비교적 널리 보급되었지만, 19세기 중반 무렵에 막부에 의해 전면적으로 금지되는 사건(event)이 발생한다. 이러한 사건, 즉 가부나카마를 금지시키는 것이 어떠한 결과를 가져왔는지, 예컨대 시장거래에는 어떠한 영향을 미쳤는지 등을 조사해보면, 반대로 그동안 가부나카마가 어떠한 기능을 하고 있었는지를 추측해볼 수 있다.

이것이 1장 4절에서 설명한 자연실험의 한 예이다.

이러한 자연실험을 이용해서 가부나카마의 기능을 테스트하는 방법 중 한 가지는 **시장의 가격조정기능**에 주목하는 것이다. 시장이 유효하게 기능하고 있는 경우, 동일한 재화에 대해서 지역 간에 가격차가 존재한다면 가격이 낮은 지역에서 높은 지역으로 재화가 이동하면서 가격은 곧 균등해질 것이다. 또한 각 시점에서 이러한 조정이 이루어진다면, 가격의 시계열 자료를 가지고 분석할 경우에 각 지역의 가격은 밀접하게 연동되는 모습을 보이게 될 것이다. 이러한 시각에서 재화나 생산요소의 가격(임금, 금리)을 시계열 자료로 놓고 보았을 때 어느 정도 연동되어 있을지 또는 지역 간(크로스섹션) 자료를 통해 어느 정도 균등화되어 있을지를 분석해서 시장경제의 발달 정도를 측정하는 연구는 예전부터도 종종 행해져 왔다.

근세 일본에 대해서 지역별로 쌀 가격의 시계열 간 상관계수를 추정하고, 그것을 통해 시장경제의 발달 정도를 증명하려는 연구도 그중 하나이다. 가부나카마가 시장경제를 지지해주고 있었다고 가정한다면, 반대로 가부나카마를 금지시키는 행위는 시장의 가격조정기능을 저하시켜 결국 지역 간 가격연동성이 떨어지게 되리라는 것을 예상할 수 있다. 실제로 오사카, 에도, 오미(近江) 등 13개 지역에 관한 1833~1841년, 1842~1850년의 쌀 가격 데이터를 이용해서 두 지역씩 짝을 지어 상관계수를 구해보면, 각 기간별 평균은 각각 0.824와 0.487이 된다. 예상대로 가부나카마가 금지된 1842~1850년의 기간이 1833~1841년의 기간보다 지역별로 쌀 가격의 상관계수가 낮고, 이는 곧 시장의 가격조정기능이 저하되었다는 것을 뜻한다.

표 5-1　가부나카마의 경제적 기능

피설명변수: 실질화폐잔고의 성장률				
상수항	0.0009	(0.0429)	0.0634	(1.866)
시간 트렌드	0.0042	(2.176)	0.0002	(0.094)
가부나카마 금지 더미	-0.0718	(-2.738)	-0.0457	(-1.644)
기근지표 1	-0.1309	(-4.206)		
기근지표 2			-0.0302	(-3.088)
adR^2	0.435		0.267	
관측수	22		22	

자료: 그림 5-5 참조.

　두 번째 방법은 경제성장과 경제성장에 영향을 미치는 변수를 찾아내고, 가부나카마가 금지되었다는 사실을 알 수 있는 변수를 함께 포함시켜 회귀분석을 실시하는 것이다. 예를 들면, 실질화폐잔고의 성장률을 피설 명변수로 놓고 시간 트렌드와 기근을 나타내는 지표 및 가부나카마의 금지기간을 나타내는 더미변수 등을 설명변수로 놓은 뒤 회귀분석을 실시 한다. 그 결과는 **표 5-1**에 잘 나와 있다. 기근변수의 계수는 예상한 대로 통계적으로 유의하게 부(-)로 나타났다. 농업에 대한 의존도가 높았던 근세의 경제에서 농작물의 흉작은 공급에서 커다란 마이너스 쇼크로 작용 했다. 가부나카마의 금지를 나타내는 더미변수의 계수도 통계적으로 유의 하게 부(-)로 나타났고, 계수의 절대치도 크게 나왔다. 즉, 가부나카마가 시장경제를 지지하고 있었다는 가설이 기각되지 않는다.

　당시의 기술(記述)자료를 보더라도, 가부나카마의 금지가 경제, 특히 시장거래와 신용제도에 부정적인 영향을 끼쳤다는 사실을 확인할 수 있 다. 예를 들면 에도 부교는 로주에게 보내는 의견서에서, "제각기 예전부터 가지고 있던 주식은 쓸모없게 되어버렸고, 화폐(금은)의 유통은 더더욱 어려워졌으며, 물가는 내려가는 일이 없고, 단지 여기저기서 어렵다는 말만 들려오고 있습니다"라고 보고하고 있다. 오사카 부교도 의견서를 통해 다음과 같이 보고한다. "(오사카도) 에도와 마찬가지로 다양한 가부나 카마를 금지했기 때문에 어떠한 상품이 되었든지 간에 너도나도 제멋대로 직접 거래를 하게 되었고 다양한 상품의 거래가 여기저기서 마구잡이로 이루어지고 있습니다. 지역별로 여기저기서 다양한 거래가 이루어지는 바람에 공정가격이 성립하지 못하고 더군다나 단속의 손길도 미치지 못해서 모든 상품의 수급이 불균형하게 되어 여러 지역에서 일용품의 조달에 불편을 겪을 뿐 아니라 오사카 부내의 유통에서도 불편을 초래하고 있습니다."

이상과 같이 다양한 증거를 통해 볼 때, 가부나카마는 근세 일본에서 다각적 징벌전략을 통해 시장거래를 지지하고 있었다고 생각된다. 다만 주의해야 할 점은 이러한 제도만으로는 **좀 더 장기에 걸친 경제발전을** 지속할 수 없다는 것이다. 다각적 징벌전략 모델에서 알 수 있듯이, 이러한 제도는 거래 상대방이 대등한 입장에 있어야 한다는 점과 부정한 행위에 대한 정보를 상인길드의 구성원 전체가 공유할 수 있어야 한다는 점 등을 전제로 한다. 그리고 그러한 전제는 거래 상대방의 수가 비교적 한정되어 있고, 구성원들의 숫자도 많지 않다는 조건을 필요로 한다. 따라서 근대 이후의 경제발전은 부분적으로는 근세 이후의 다각적 징벌에 가까운 메커니즘을 이용하면서도, 동시에 **근대국가에 의해 정비된 사법제도에 의해** 실현된다.

❶ 인류 역사상 어떠한 재화가 화폐로 사용되어왔는지 조사해보자.

❷ 애브너 그라이프·폴 밀그롬(Milgrom, Paul)·배리 웨인가스트, "Co-ordination, Commitment, and Enforcement: The Case of the Merchant Guild"(*The Journal of Political Economy*, Vol. 102, No. 4, 1994, pp. 745~776)를 읽고 게임이론이 경제사 연구에 어떻게 활용될 수 있을지 생각해보자.

❸ 애브너 그라이프의 다각적 징벌전략 모델에서 고용되어 있지 않는 잠재적 대리인의 소득 $\overline{W}$는 효율임금 W^*에 어떠한 영향을 미치게 될까?

❹ 오카자키 데쓰지(Okazaki, Tetsuji), "The Role of the Merchant Coalition in Premodern Japanese Economic Development: An Historical Institutional Analysiy"(*Explorations in Economic History*, 42, 2005, pp. 184~201)를 읽고 근세 일본의 가부나카마 조직과 기능을 중세 유럽의 길드와 비교해보자.

❺ 덴포 개혁으로 가부나카마가 금지된 것은 실질임금에 어떠한 영향을 미쳤을지 생각해보자.

'산업혁명'은 오랫동안 근대 경제사에서 커다란 분기점으로 간주되어왔다. 그런데 1980년대 이후에 발표된 연구에 의하면, 영국의 산업혁명이 지금까지 우리가 생각해오던 것보다 훨씬 완만하고 부분적인 변화였다는 사실이 밝혀졌다.

그러나 최근, 서유럽과 동아시아 사이의 역사적인 경제 격차의 확대, 즉 '대분기(Great Divergence)'의 출발점으로서 다시 한 번 산업혁명이 주목받고 있다. 또한 산업혁명기에 공장제(즉, 고용계약으로 사람들을 작업장에 모아놓고 공장경영자의 지시와 감독 아래 일하게 하는 생산조직)가 무시할 수 없을 만한 규모로 형성되었다는 점에서 산업혁명은 여전히 중요한 사건이었다고 말할 수 있다. 공장경영자의 역할에 대해서는 래디컬 이코노미스트였던 스티븐 마그린(Marglin, S.)이 문제제기를 한 이후에 거래비용의 경제학 또는 계약이론에 근거해서 논의가 전개되고 있다.

영국 산업혁명의 성과가 신대륙인 아메리카에 이식되었을 무렵에는 새로운 혁신이 일어났다. 알프레드 챈들러(Chandler, A. D.)가 강조한 대로 광활한 영토로 뻗어 있는 철도는 그 운행을 관리하는 기업조직을 발달시키고 그와 동시에 대규모 시장을 형성함으로써 대량생산과 대량유통을 통합하는 대기업의 형성을 촉진했다. 대기업의 성립으로 그때까지 시장이 담당해오던 자원배분기능 중 일부는 기업조직의 내부에서 경영자의 '보이는 손(Visible Hand)'에 의해 이루어지게 되었다.

그러나 기업조직에 의한 거래의 내부화는 특정한 시기의 미국에서 고유한 조건에 의해 달성된 것이었다. 실제로 미국에서도 시장규모가 한층 확대되고 시장 참가자가 더욱 증가하게 되는 1980년대 이후에는 자원배분기능이 '보이는 손'에서 다시 '보이지 않는 손(Invisible Hand)'으로 옮겨갔다.

제6장

생산조직 I:
공장과 기업

키워드

산업혁명, 대분기(Great Divergence), 공장제,
규율과 감독, 거래비용, 통합기업, 직계참모조직,
'보이는 손', 거래 거버넌스 구조

1. '산업혁명'

1) 공장제의 성립

일본을 포함한 현재의 선진국에서 공업제품의 대다수는 공장에서 만들어지고 있으며 공장에서 일하는 사람들(노동자)은 공장을 경영하는 회사에 고용되어 회사의 지시와 감독에 따르고 있다. 노동자는 공장에서 회사를 위해 일을 하고 그 대가로 임금을 받는데 대부분의 경우 임금은 월급의 형태로 지불된다. 이처럼 임금을 대가로 고용된 노동자가 공장에서 경영자가 제시하는 규율에 따라 집단적으로 일하는 생산조직을 **공장제**라고 한다. 공업생산에서 공장제가 큰 의미를 지니게 되는 것은 역사적으로 볼 때 그리 오래된 것은 아니다. 공장제가 공업생산에서 중요한 의미를 갖게 된 역사적 계기를 통상적으로 '**산업혁명**'이라고 부른다.

세계에서 가장 먼저 산업혁명을 경험한 나라는 영국이었다. 영국에서는 18세기 말에서 19세기 초에 걸쳐 수십 년간 '혁명적'인 기술·생산조직·사회적인 면에서 변화가 일어났다. 그리고 이러한 시각은 경제사 연구자인 아널드 토인비(Toynbee, A.)가 19세기 말에 발간한 그의 저서 『영국산업혁명사(Lectures on The Industrial Revolution of the Eighteenth Century in England)』를 통해서 최초로 제기했다.[1] 급격한 변화라는 의미로서 산업혁명이라는 시각을 계승하면서도, 좀 더 잘 정리된 형태의 저서로 토머스 애슈턴(Ashton, T. S.)의 『산업혁명(The Industrial Revolution: 1760-1830)』이라는 책이 있다.[2] 뒤에서 다시 한 번 설명하겠지만 이러한 시각은 1980년대 이후 많은 비판에 직면하게 된다. 그럼에도 토인비나 애슈턴의 저서들은 산업혁명에 관한 고전에 해당하는 문헌들로서 오늘날에도 충분히 읽을 만한 가치가 있다.

애슈턴의 저서 『산업혁명』은 "조지 3세의 즉위(1760년)부터 그의 아들 윌리엄 4세의 즉위(1830년)에 이르는 짧은 세월 동안 잉글랜드의 모습은 일변했다"라는 인상적인 문장으로 시작된다. 애슈턴이 주목한 변화는 다음과 같다.

① 개방경지의 인클로저

② 대규모 인구를 자랑하는 도시의 성장

③ 숲을 이루며 서 있는 굴뚝들

④ 공공도로의 정비

⑤ 운하망(網)의 발달

⑥ 철도의 부설

⑦ 인구증가와 청장년층 인구비율의 증가

⑧ 농촌에서 도시로의 인구이동

⑨ 가족노동에서 공장노동으로의 이행

⑩ 새로운 원료와 시장의 개척

⑪ 새로운 상업수단의 개발

⑫ 금본위제의 적용

⑬ 은행제도의 발달

⑭ 특권이나 독점의 배제

⑮ 영업자유의 확립

⑯ 국가 기능의 후퇴

⑰ 혁신과 진보의 사상에 의한 전통적 관념의 구축(驅逐)

굴뚝이 숲을 이루듯 줄지어 서 있다는 것은 증기기관의 이용을 핵심으로 하는 기술적 변화를 상징하고 있다. 여기에서 '산업혁명'은 급격하고 경제사회의 전 범위에 걸친 시스템적인 변화로서 묘사되고 있다. 이 책을 읽는 독자들이 고등학교까지의 교과과정에서 배우는 산업혁명도 아마도 이러한 이미지에 가장 가까울 것이다.

2) 시스템적인 변화

애슈턴은 18세기 말 이후의 영국에서 왜 이러한 급격한 변화가 일어나게 되었는가에 대해서도 설명하고 있다. 그는 산업혁명을 구성하고 있는 다양한 분야에서 변화가 동시에 일어나기 위해서는, 각 분야별로 고유한 장애들이 제거되어야 할 필요가 있다고 생각했다. 영국에서는 18세기 초부터 점진적으로 변화가 진행되어 관련된 모든 분야에서 장애들이 전부 제거되었고, 18세기 말에 이르러 이윽고 **시스템적인 변화**의 조건이 갖추어졌다.

산업혁명 하면 제일 먼저 떠오르는 것이 제니, 뮬 등과 같은 **새로운 방적기의 발명**일 것이다. 이러한 발명들은 그 자체만으로도 산업혁명의 중요한 일부일 수 있지만 동시에 산업혁명기의 다른 변화들과도 밀접한 관계가 있었다. 직접적인 관계로는 우선 면사(綿絲) 부족을 해결한 것이었다. 18세기 말에는 모슬린(muslin, 메린스) 수요가 증가해서 영국의 면직물 공업은 활황기에 접어들었다. 당시 면직물의 대부분은 수직공(手織工)이

인력으로 직기(織機)를 이용해 제조하는 것이었다. 이미 역직기(力織機) 자체는 발명되어 있었지만, 역직기가 보급되기 위해서는 면사의 공급능력이 증대될 필요가 있었다. 이러한 면사 부족을 해결한 것이 새로운 방적기의 발명이었다. 새로운 방적기에 의해 방적공정(紡績工程)과 직포공정(織布工程)에서 동시에 기계화가 진전될 수 있었다.

새로운 방적기와 역직기는 수력이나 증기기관으로 구동되었기 때문에 동력 면에서도 **규모의 경제성**이 작용했다. 하나의 대규모 동력원에서 다수의 기계로 동력을 전달하는 편이 기술적인 효율성이 높았기 때문이다. 그리고 다수의 **노동자를 공장에 모아놓고 경영자의 관리 아래 일하게** 하는 공장제의 도입은 새로운 기술을 효율적으로 이용하기 위해서 필요한 것이었다. 그러나 18세기의 영국에서 공장제를 실시하는 데에는 몇 가지 장애물이 존재했다. 그중 하나는 공장에서 정해진 규율에 맞춰서 일할 수 있는 많은 수의 노동자를 확보하는 것이 쉽지 않다는 점이었다. "산업혁명의 초기에 고용주들이 직면한 가장 큰 문제들 중 한 가지는 새로운 기술을 습득하는 능력이 있으면서, 동시에 새로운 방식의 공업이 요구하는 규율에 쉽게 복종할 수 있는 사람들을 찾아내는 것이었다"고 애슈턴은 밝히고 있다. 이것은 마르크스가 자본의 본원적 축적론에서 지적한 문제이자 후진국의 공업화에서 거셴크론이 강조한 점이기도 하다.

이에 대해 공장의 내부에서는 공장경영자가 지배인이나 공장장과 같은 관리자를 임명하여 노동자를 감시하는 조치가 취해지게 되었다. 또한 성과급제도(出來高賃金)*와 같이 노동의 동기를 자극할 수 있는 임금체계

---

* 기본적인 임금형태의 한 가지로서, 작업량(出來高)을 척도 단위로 한다. 노동시간을 척도 단위로 하는 시간급(時間給)에 비해 노동의욕을 자극할 수 있으므로

를 도입하고, 반대로 음주나 태만에 대해서는 벌금제도를 실시했다. 정책적으로는 1834년 구빈법(救貧法)을 개정해서, 직업이 없는 빈곤층에게도 압박을 가했다. 애슈턴에 의하면 이러한 시책들은 다음과 같은 결과를 가져왔다. "1830년까지 영국은 공장의 노동조건에도 익숙하면서 동시에 필요에 따라 이 장소에서 저 장소로, 하나의 작업에서 다른 작업으로 자유롭게 이동시킬 수 있는 일련의 임금 노동자를 다양한 방법으로 확보해나갔다. 임금수준은 수요·공급에 대해 지금까지보다도 더욱 신속하게 반응할 수 있게 되었고, 일반 경제활동의 상승·하강운동에 맞추어서 변동하게 되었다." 이렇듯 공장제의 성립은 **전국적인 노동시장**의 형성을 동반한 것이었다.

노동에 견줄 수 있는 또 하나의 주요한 생산요소인 **자본**은 어떠했을까? 산업혁명 당시에 공장건설 비용이나 기계구입 비용은 가족이나 소수의 파트너 범위에서 조달되고 있었다. 다른 한편으로 운전자금, 즉 원료를 구입하고 임금을 지불하기 위한 자금에서 애슈턴은 은행의 기능을 강조하고 있다. "은행과 그 밖의 모든 기관은, 수없이 많은 자금이 흘러 들어와서 쌓이고 그곳에서 다시 국내 및 국외의 산업으로 흘러 들어가기 위한 풀(pool)로서의 기능을 다했다"는 것이다. 그리고 공장의 자금수요가 증대됨에 따라 전통적인 개인 은행의 자금공급 능력은 한계를 드러낼 수밖에 없었고, 그것은 곧 금융공황의 빈발이라는 형태로 나타났다. 이에 따라 1826년에는 런던 주변에서 법인은행의 설립이 허가되었다. 공장제의 성립은 **금융 시스템**의 변화와도 상관관계가 있는 것이다.

노동의 질을 규제하거나 능률향상을 도모할 수 있다(역자 주).

3) 산업혁명관의 수정

앞서 살펴본 바와 같이, (애슈턴의 기술대로) 급격하면서도 대규모의 변화로서 산업혁명을 파악하려 했던 시각은 1980년대 이후에 다양한 비판에 직면한다. 정량적인 연구를 통해 산업혁명관의 수정을 이끌어온 연구자 중 한 명인 니콜라스 크래프츠(Crafts, N.)는 1970년대 이후의 산업혁명 연구를 정리하여 다음과 같이 총괄했다.[3]

첫 번째는, 거시적으로 보았을 때 경제성장률과 경제성장에 관한 기술 진보의 기여도가 18세기 말 이후에 영국에서 급격히 성장했다는 사실은 실제로 존재하지 않았다는 것이다. 표 6-1은 크래프츠가 실시한 성장회계의 결과를 나타내고 있다. **성장회계**는 거시적인 생산함수를 전제로 경제성장률을 생산요소(자본, 노동) 증가의 기여에 의한 부분 및 기술진보의 기여에 의한 부분으로 분해하는 방법이다. 생산요소가격이 시장에서 경쟁적으로 결정된다고 가정해보자. 그러면 다음의 **수식 6.1**에 의해서, 경제성장률은 **기술진보의 기여** 내지 **총요소생산성(TFP)의 상승률** $\frac{\triangle A}{A}$ 그리고 자본증가의 기여 $\alpha \frac{\triangle K}{K}$와 노동증가의 기여 $\beta \frac{\triangle L}{L}$로 분해할 수 있다. 여기서 α는 자본분배율(이윤 / 부가가치), β는 노동분배율(임금 / 부가가치)를 나타낸다. 실제 추계에는 우변의 두 번째 항과 세 번째 항을 데이터에서 계산해내고 좌변에서 이것들을 뺀 잔차로부터 TFP의 상승률($\frac{\triangle A}{A}$)을 구한다.

▌수식 6.1▐
$$\frac{\triangle Y}{Y} = \frac{\triangle A}{A} + \alpha \frac{\triangle K}{K} + \beta \frac{\triangle L}{L}$$

표 6-1 영국 산업혁명의 성장회계

(단위: %/년)

기간	경제성장률	자본투입 증가의 기여	노동투입 증가의 기여	잔차 (TFP 상승률)
1700~1760	0.70	0.35	0.15	0.20
1760~1801	1.00	0.50	0.40	0.10
1801~1831	1.90	0.85	0.70	0.35

자료: Nicholas F. R. Crafts, "Industrial Revolution," in Roderick Floud and Donald MaCloskey(eds.), *The Economic History of Britain since 1700*, second edition, Cambridge: Cambridge University Press, 1994.

표 6-1에서 알 수 있듯이, 경제성장률(연율)은 산업혁명 이전에 해당하는 1700~1760년에 0.7%에서 1760~1801년에는 1.0%, 1801~1831년에는 1.9%로 상승했다. 산업혁명기에 경제성장률은 확실히 상승했지만, 그러한 변화는 연속적인 것이었으며 성장률 그 자체도 그렇게 높지 않았다는 것이 크래프츠의 평가이다. 한편, TFP의 상승률은 같은 기간에 각각 0.2%, 0.1%, 0.35%로 나타났다. 이것은 산업혁명기의 전반부에 오히려 TFP 상승률이 저하했다는 것을 의미한다.

산업혁명관의 수정과 관련해서 두 번째로 제기된 문제는 면공업 생산이 **경제 전체에서 차지하는 비중**이 생각보다 작았다는 점이다. 닉 할리 (Harley, K.)의 추계에 의하면, 광공업·건설업 부문의 전체 생산에서 차지하는 면공업의 비중은 1815년에 7%, 1841년에는 10% 정도에 그쳤다. 이는 곧 면공업이 산업혁명의 선도 분야(reading sector)였다는 견해가 양적(量的)으로 보았을 때는 결코 타당하지 않다는 것을 뜻한다.[4]

4) '대분기'와 산업혁명의 재평가

위와 같이, 산업혁명이 경제성장에 극적인 변화를 가져왔다는 기존의 견해를 수정하는 연구가 1970년 이후 꾸준하게 진행되어왔으나, 최근에 는 반대로 산업혁명의 획기성을 강조하는 연구들도 발표되고 있다. 근래 에 이러한 움직임이 일어나게 된 배경에는 케네스 포메란츠(Pomerantz, K.)가 제기한 세계경제사의 '대분기(Great Divergence)'에 관한 논쟁이 있 다.[5] 포메란츠는 18세기 말까지 서유럽과 중국, 예컨대 잉글랜드와 중국 양쯔 강 유역 삼각주 지역의 1인당 소득수준이 동등했다고 주장한다. 그러나 그 이후 잉글랜드를 포함한 서유럽의 경제성장이 가속화되었고, 반대로 양쯔 강 유역 삼각주 지역을 포함한 중국 전역의 경제성장이 멈췄 기 때문에 두 지역의 소득격차가 장기적으로 확대되어 나갔다고 한다. 다시 말해 18세기 말까지도 서유럽과 중국의 소득격차는 크지 않았고, 그러한 의미에서 비교적 비슷한 수준이었던 세계경제가 19세기 이후 빠르게 성장하는 지역(풍요로운 지역)과 더디게 성장하는 지역(빈곤한 지역) 으로 크게 분기되었다고 하는 것이다. 대분기가 발생한 원인에 대해 포메 란츠는 동아시아와 서유럽의 인구밀집지역에서 경제성장을 방해하는 공 통된 제약조건이 발생했다는 점을 강조한다. 그것은 토지, 연료, 식량 등 환경의 제약이었다. 그리고 19세기 초기 이후, 서유럽에서는 이러한 환경 제약을 완화시키는 두 가지 변화가 일어났는데, 이것이 대분기의 출발점이 되었다고 지적한다. 두 가지 변화 중, 첫 번째는 목재에서 석탄으 로 연료의 전환이었고, 두 번째는 서유럽이 아메리카 대륙으로부터 토지 집약적인 재화를 수입한 것이었다. 이 두 가지 변화가 서유럽의 성장

그림 6-1 산업혁명의 충격과 '대분기'

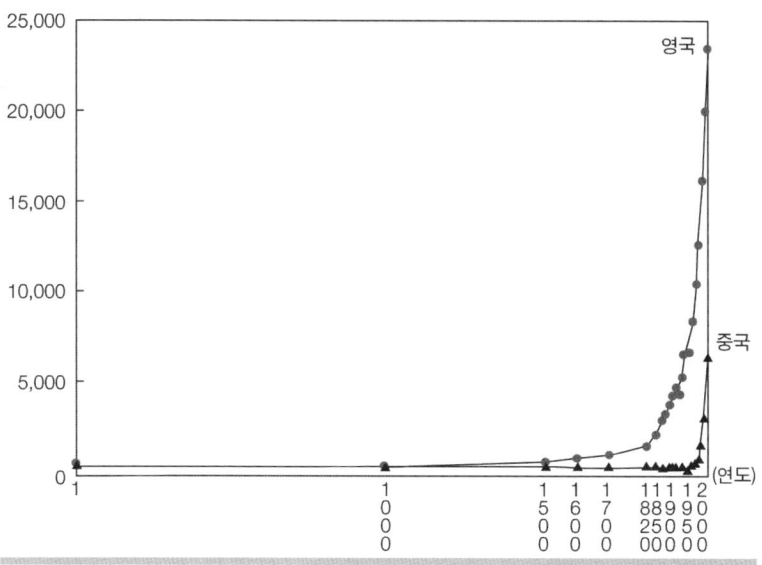

주: 단위는 1990년을 기준으로 미국 달러의 구매력을 기준으로 한 가상적 화폐단위
(Geary-Khamis Dollar)임.
자료: 메디슨 프로젝트 데이터베이스(http://www.ggdc.net/maddison/maddison-project/
home.htm).

제약을 완화하고, 나아가 지속적인 경제성장을 가능하게 하였기 때문에
서유럽과 동아시아 사이의 대분기가 발생했다는 것이다.

목재에서 석탄으로 연료가 전환된 것은 산업혁명의 핵심적인 변화 중
하나이며, 그러한 점에서 포메란츠의 연구는 산업혁명을 재평가할 수
있는 기회를 제공했다. 또한, 크래프츠의 주장대로 1인당 GDP나 총요소
생산성이 산업혁명기에 큰 폭으로 상승하지 않았다고 할지라도, (지수함수
의 성질을 생각해볼 때) 변화율의 상승이 장기적으로 지속되면 나중에는
1인당 GDP나 총요소생산성에 큰 영향을 미친다. 그림 6-1은 이를 인상적

으로 나타내고 있다. 기원후 1년부터 2000년에 걸친 장기적 관점에서 보았을 경우, 19세기 초기가 인류사의 커다란 전환점이었다는 것은 명확하다. 1800년 가까이 거의 증가하지 않거나 미미하게 증가하던 1인당 소득이 일부 지역에서 폭발적으로 상승하기 시작했고, 이는 지역 간 풍요로움의 차이, 즉 '대분기'를 초래하였다.

위에서 서술하였듯이 산업혁명은 근래에 들어 다시금 경제사 연구의 주요한 토픽 중 하나로 주목받고 있으며 경제성장이론에도 영향을 미치고 있다. 경제사 분야에서 근래에 정리된 연구로는, 로버트 앨런(Allen, R. C.), 그레고리 클락(Clark, G.), 조엘 모키어(Mokyr, J.) 등의 저서를 들 수 있다.[6] 또한, 산업혁명이라는 역사적 사건을 포함시켜 경제성장이론을 재구성하려는 시도는 마이클 크레머(Kremer, M.), 오데드 갈러(Galor, O.) 등에 의해 이루어지고 있다.[7]

거시적으로 보아 산업혁명이 세계경제사의 획기적 사건이라는 점은 누구도 부인할 수 없다. 그와 동시에 미시적 레벨에서 산업혁명은 기술변화를 통해 사람들의 노동 방법을 크게 바꾸었다. 거시적인 변화는 미시적 레벨의 기술과 생산조직의 변화를 반영하고 있다고 할 수 있다. 다음으로 산업혁명의 과정에서 도입된 공장제라는 새로운 생산조직이 어떠한 의미를 갖는지에 대해 살펴보자.

2. '보스(boss)들은 무엇을 하는 걸까?'

1) 스티븐 마그린의 문제제기

공장제라는 생산조직에 경제학자들이 관심을 기울여온 것은 경제학의
역사만큼이나 오래되었다고 할 수 있다. 애덤 스미스는 『국부론(An Inquiry
into the Nature and Causes of the Wealth of Nations)』에서 분업에 대해 고찰하
면서 핀을 제조하는 공장을 예로 들고 있다.[8] 재료인 철사로 핀을 만들기
까지의 공정을 분할해서 작은 공정들을 각각 전문화된 기술자(craftsman)들
에게 담당시키는 공장을 관찰한 스미스는, 그곳에서 분업이 얼마나 생산
성을 높이는가에 대한 통찰을 얻었다. 마르크스는 『자본론』에서 두 개의
장을(제1권, 제12장~제13장)을 공장제에 관한 고찰에 할애하고 있다. 마르
크스의 관심은 어떻게 공장제가 사람들의 일하는 형태를 변화시켜나가며,
어떻게 해서 자본가에 의한 노동자의 '착취'가 심화되어 가는지에 있었다.
　오늘날 마르크스주의는 경제학 분야에서 영향력을 점차 잃어가고 있
다. 그러나 1970년대에는 미국을 중심으로 일부 경제학자들이 마르크스
주의의 영향을 받아 '래디컬 이코노믹스'라고 불리는 하나의 학파가
형성되기도 했었다. 그 학파에서 선도적인 위치에 있었던 스티븐 마그린
이 발표한 「보스들은 무엇을 하는 걸까?("What Do Bosses Do?")」라는 논문
은 당시에 대단한 반향을 불러일으켰다.[9] 마르크스주의의 입장에서 공
장제의 본질을 설명한 이 논문은 래디컬 이코노믹스의 범위를 넘어,
많은 경제이론 연구자들과 경제사 연구자들의 관심을 집중시켰다.
　마그린은 "기술이 사회경제조직의 형태를 만들어내는 것일까? 아니면

사회경제조직이 기술의 형태를 만들어내는 것일까?"라는 문제를 제기했다. 이것은 구체적으로 공장제라는 생산조직이 기술적으로 필연적인 것일까 하는 질문으로도 바꾸어 말할 수 있다. 그리고 마그린이 공장제의 본질로 생각하고 있던 것은 '**위계제적 구조**(hierarchy)', 즉 공장경영자가 노동자의 생산활동을 관리하는 구조였다. 자영업자의 경우와는 달리 공장에서 일하는 노동자는 무엇을, 어떻게 생산하는지에 대해 (공장경영자나 경영자로부터 권한을 위임받은) 관리자의 지시를 받게 된다. 이러한 구조가 기술에 의해 필연적으로 요청된다는 시각에 대해서 마그린은 의문을 제기한 것이다.

2) 위계제적 구조의 역사적 기원

물론 마그린이 19세기의 러다이트(Luddite movement, 기계파괴 운동) 운동가들처럼 산업혁명 이전의 경제를 이상적으로 생각했던 것은 아니었다. 그는 "현존하는 기술은 위계적인 생산조직에 적합하도록 역사적인 과정을 통해 설계되어온 것이다"라고 생각하고 있었다. 바꿔 말하면, 위계적이지 않은 생산조직(예컨대, 개개의 노동자가 자신의 생산활동을 스스로 관리하는 생산조직)에서도 높은 효율성이 실현될 수 있도록 기술을 설계할 수도 있고, 역사를 거슬러 올라가 보면 그것이 가능했던 사례를 발견할 수 있을지도 모른다고 마그린은 생각했다. 그는 그것이 실현되기 위해서는 단지 기술을 변화시키는 것만이 아니라 경제 전체의 변혁이 필요하다고 주장했다. "기본적인 모든 제도 – 학교에서 공장에 이르기까지 – 가 위계제에 맞도록 조직되어 있는 사회에서는 아주 작은 변혁이 시도되는 것만으로 분명히 실패"하게 되어 있기 때문이다. 다시 말하면, 마그린은 기술과 제도·조직 간의 보완성 그리고 그것을 기반으로 한 **경로의존적인 경제시스템의 진화**라는 시각을 제기한 것이다. 이러한 시각은 마르크스주의라는 틀을 넘어 오늘날에도 충분히 참고할 만한 가치가 있다고 하겠다.

마그린은, 기술이 위계제적인 구조를 갖춘 사회경제조직을 초래한 것이 아니라 위계제적인 구조의 사회경제조직이 기술의 형태를 결정한다는 주장을 뒷받침하기 위해서 역사적 접근방식을 사용했다. 또한 마그린은, 역사적으로 거슬러 올라가면서 **공장제의 형성과정**을 살펴보는 것을 통해, 직접생산자(노동자)가 왜 생산의 관리권을 잃게 되었는지, 관리자(보스)-노동자의 위계적 질서는 어떠한 환경이 만들어내는 것인지, 그것은 어떠한 사회적 기능이 있는 것인지 등과 같은 문제를 놓고 해답을 찾기 위해 고심했다.

마그린은 노동자가 생산에 대한 관리권을 상실하는 것은 **선대제와 공장제**의 두 단계에서 발생했다고 보았다. 선대제에 관해서는 제7장에서 다시 한 번 자세히 설명할 것이다. 우선 간단하게 말해보자면, 선대제는 선대주가 자신의 집에 각각 작업장이 있는 노동자들에게 원재료와 경우에 따라서는 도구를 대여하고 선대주의 지시에 따라 제품을 생산하게 해서 그 대가로 공임(工賃)을 지불하는 생산조직이다.

선대제에서는 어떻게 일을 할 것인지에 대해서만큼은 노동자 자신이 관리하지만, 생산물의 관리권은 선대주에게 집중되어 있다. 그러나 그다음 단계로 여겨지는 공장제에서는 생산물의 관리권만이 아니라 노동자가 어떻게 일을 할 것인가 하는 생산과정에 관한 관리권도 공장경영자가 장악하게 된다.

마그린이 설명하는 역사적인 증거는 주로 기술변화에 선행해서 생산조직의 변화가 발생한다는 점이다. 즉, 개개의 노동자가 자율적으로 노동할 때와 동일한 기술이 거의 그대로 유지된 채, 생산조직만 선대제에서 공장제로 이행했다고 하는 역사적 사례를 들어 이를 "기술이 생산조직을 결정하는 것은 아니다"라는 주장의 근거로 삼았다. "기계직기(機械織機)가 실용화되기 훨씬 이전부터 수직공들은 작업장에 모여서 가내공업에서 사용되던 기술과 동일한 기술로 작업을 수행해왔다. 만약 수직공장(手織工場)이 기업가들에게 수익성이 전혀 없는 사업이었다면 그토록 길게 지속되지는 못했을 것이다. 또한 명백한 것은 그러한 이익이 월등한 기술을 바탕으로 창출된 것이 절대 아니었다"는 것이다.

마그린은 동일한 기술임에도 공장(집중작업장)으로 노동자를 모이게 할 수 있는 이유가 '규율과 감독'에 있다고 생각했다. 노동자를 경영자의 감독 아래 두고 그들에게 규율을 부여함으로써 생산성을 높일 수 있다는 것이 공장제로 이행하게 된 이유라는 것이다. 마그린이 자신의 논문에서 제목을 통해 묻는 질문, 즉 "보스들은 무엇을 하는 걸까?"라는 질문에 대해서 그는 "보스들은 노동자를 감독하고 규율을 부여한다"고 대답한 것이다.

3) '보스들은 정말로 무엇을 하는 걸까?'

경제사 연구자인 데이비드 란데스(Landes, D. S.)는 '보스들은 정말로 무엇을 하는 걸까?(What Do Bosses Really Do?)'라는 재기 넘치는 제목으로 마그린의 주장에 대해 비판적인 논문을 발표했다.[10] 란데스는 마그린과 마찬가지로 공장경영자의 역할 중 하나가 노동자를 규율하고 감독하는 것에 있다는 것을 인정했다. 사실 그 점만큼은 오히려 마그린의 주장 자체가 란데스의 연구에 근거한 것이었다. 그러나 란데스는 공장경영자의 역할이 노동자를 규율하고 감독하는 것에만 그치는 것이 아니라는 점에서 마그린에 대해 비판적 입장을 견지했다.

공장경영자는 공장에서 생산된 제품을 판매하지만 마케팅에는 시간이나 언어능력과 같은 고유의 능력이 필요하다는 점을 란데스는 강조했다. 즉, 이윤의 원천이 노동자의 '착취'에 있는 것만은 아니라고 지적한 것이다. 또한 란데스는 기술도 중요한 문제라고 생각했다. 확실히 마그린이 말한 대로 수직(手織)기술을 사용하는 집중작업장, 즉 마르크스가 말하는 매뉴팩처는 16세기 이후 영국의 모직물 공업을 기반으로 다수 설립되었다. 그러나 집중작업장(매뉴팩처)이 분산적인 수직업자(手織業者)보다 경쟁상 우위를 확보하게 되는 것은 중심적인 공정이 기계화되는 19세기부터이다. 즉, 규율과 감독만으로는 충분히 생산성을 높이는 계기가 마련될 수 없었다는 것이다.

흥미 있는 사실은 마그린이 자신의 논문 속에서 로널드 코스의 거래비용의 경제학에 대해 언급하고 있다는 점이다. 마그린은 기업을 시장과 대체가능한 자원배분기구라고 보는 코스의 입장을 높이 평가했다. 그러나 다른 한편으로 코스가 기업을 거래비용을 절약하는 수단으로 보았지만, 노동자를 복종시키기 위한 수단으로는 보고 있지 않다는 점에서는 비판하는 것을 잊지 않았다. 이러한 마그린의 비판에서도 엿볼 수 있듯이 마그린의 관점과 거래비용의 경제학에서의 관점은 미묘한 시각 차이를 드러내고 있었다.

이러한 점은 코스를 계승해서 거래비용의 경제학을 확립시킨 올리버 윌리엄슨의 저서에서도 찾아볼 수 있다. 윌리엄슨은 거래비용의 경제학에 대한 생각의 틀을 체계적으로 정리한 『자본주의의 경제제도』라는 책에서 한 장을 마그린의 위계적 구조론의 검토에 할애하고 있다.[11] 윌리엄슨도 마그린과 마찬가지로 공장의 규율과 감독에 관한 기능을 중시했지만, 그 기능은 **거래비용의 절약**으로 파악하고 있었다. 노동자에 의한 태업, 원재료의 횡령, 생산품의 품질저하 등은 결국 노동거래와 관련한 거래비용이고, 그것을 절약하는 장치로서 위계적 구조에 바탕을 둔 규율과 감독이 생겨났다고 하는 것이다.

이 부분에 대해서 마그린은 규율과 감독의 기능이 오로지 경영자에 의한 노동자의 착취에 있다는 소득분배의 관점으로 이해하고 있었다. 이러한 견해상의 차이는 옳고 그름의 문제보다도 가치판단의 문제에 가깝다고 볼 수 있다. 다만 마그린의 논문은 선대제나 공장제라는 생산조직의 내부를 조명한 것이라고 생각할 수 있다. 이러한 점에서 공장경영자의 역할에 관한 두 시각의 차이를 단순한 대립적인 관점에서 파악하기보다는, 다음 절에서 보게 될 챈들러의 경영사 연구와 함께 거래비용의 경제학을 포함한 조직의 경제학적 분석의 길을 새롭게 연 선구적 연구로서 평가해야 할 것이다.

3. '보이는 손'의 혁명

1) 철도와 미국경제

영국 산업혁명의 영향은 19세기 후반에 신대륙인 미국에까지 파급되었다. 산업혁명의 성과인 공장제나 철도가 광활한 영토를 보유하고 있는 미국으로 이식되었을 무렵에, 20세기의 세계경제를 특징지을 수 있는 새로운 조직이 탄생했다. 정비된 관료제적 내부조직을 바탕으로 하고, 고용된 전문 경영자와 관리자에 의해 경영되는 대규모 기업이 바로 그것이다. 19세기 후반 이후에 미국에서는 대기업들이 형성되고, 이러한 대기업이 미국 경제의 틀을 바꾸어나갔다. 미국의 경영사 연구자인 알프레드 챈들러는 기업의 내부자료를 면밀히 조사하여 위와 같은 시각을 제시했다. 챈들러의 연구를 중심으로 19세기 후반 이후에 미국에서 생겨난 기업조직의 혁신에 대해 살펴보도록 하자.[12]

변화의 원동력으로서 챈들러가 중시한 것은 **철도**의 발전이었다. 철도는 두 가지 의미에서 변화의 원동력이 되었다. 첫째, 최초의 대기업이라고 할 수 있는 철도회사는 조직의 혁신을 선도했다. 둘째, 철도는 광활한 미국의 영토를 하나의 시장으로 통합하고 대량유통·대량생산의 조건을 형성했다. 미국에서 최초로 동부에 철도가 건설된 것은 1830년대 초반이었다. 그 이후에 철도는 서부를 향해서 끊임없이 연장되어나갔다. 1896년에 이르러 철도는 태평양 연안까지 확장되었고, 1870년대에는 오늘날과 거의 비슷한 정도로 미국의 철도망이 완성되었다.

2) 기업조직의 혁신

각각의 철도 노선은 민간기업이 경영했다. 이들 중에서 간선철도를 경영하고 있던 철도기업들은 이전의 기업들에서 볼 수 없었던 특징을 지니고 있었다. 첫 번째로, 이들 기업은 이전의 기업들에 비해 현저하게 규모가 크고 사업의 성격상 업무가 넓은 지역에 걸쳐 있었다. 공업기업의 자본금이 최대 100만 달러 정도이던 시대에, 적어도 15개의 철도기업에서 고정자산액이 500만 달러를 넘었다. 또한 공업기업의 종업원 수가 아무리 많아도 150명 안팎이었던 시대에, 대규모의 철도기업은 4000명 전후의 종업원을 고용하고 있었다. 두 번째로, 복잡한 철도의 운행계획을 관리하고 철도를 안전하고 효율적으로 운행하기 위해 높은 수준의 관리능력이 필요했다.

대규모 철도기업은 넓은 지역에 걸쳐서 분산되어 있는 거액의 자산을 운영하고 다수의 종업원을 고용하며 복잡한 운행계획을 관리하기 위해 새로운 조직구조를 발달시켜나갔다. 펜실베이니아 철도라는 회사에서 가장 먼저 도입한 **직계참모조직**(Line and Staff 조직)이 바로 그것이다(그림 6-2). 직계참모조직에서는 운송, 동력·장치, 보선(保線),* 재무라는 한 세트를 이루는 직능을 갖춘 몇 개의 현업(現業) 단위가 지역별로 설치되었다. 그리고 각각의 관구(管區, 관리구역)에는 관구지배인이 임명되고 사장-총지배인-관구지배인이라는 현업부문에서 종(縱)적인 지휘명령계통이 확립되었다. 이러한 지휘명령계통을 직계(Line)라고 한다. 한편

* 철도 선로를 안전하게 보호·관리하는 일(역자 주).

그림 6-2　복수사업 기업의 직계참모조직

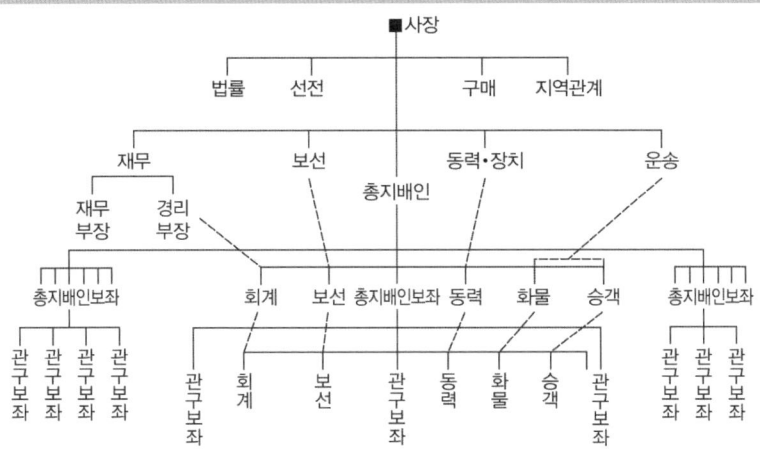

주: 1870년대 이후의 철도, 20세기의 항공, 대형 버스, 트럭의 노선에 의해 수정된 형태.
자료: アルフレッド・チャンドラー, 『アメリカ經營史』, 丸山惠也譯, 亞紀書房. 1986, pp. 96~97.

본사에서 운송, 동력·장치, 보선, 재무 등의 각 직능부문을 관리하는 관리자는 현장에서 지휘명령권이 없는 대신에, 사장을 보좌하는 참모 (Staff)로 있게 된다. 이러한 조직을 가동시키기 위해서 상층부에서 하층부로 명령·지시가 전달되고, 하층부에서 상층부로 일보(日報), 주보(週報), 월보(月報)의 형태로 보고서가 제출된다. 그리고 각 관구 지배인의 업적을 평가하고 요금을 설정하기 위해서 원가계산을 포함하는 회계 시스템이 정비되었다.

3) 대량생산과 대량유통의 통합

철도망의 정비는 미국에서 하나의 거대한 국내시장을 탄생시켰다. 그리고 그러한 큰 시장에서 충분한 이익을 뽑아내기 위해서 새로운 형태의 기업이 등장했다. **대량생산기능과 대량유통기능**을 하나의 조직 속에 **통합**시킨 기업이 바로 그것이다. 지금까지는 공업과 유통업의 기업 모두 그 규모가 작았을 뿐만 아니라 각각 자신들의 분야를 공업과 유통업에 전문화하는 것이 일반적이었다. 그에 비해서 철도망이 완성된 19세기 말 이후에는, 많은 공업기업이 대량생산기술을 도입하는 것과 더불어 자사(自社) 제품을 판매하기 위한 판매부문과 원재료를 조달하기 위한 구매부문을 기업 내에 설치했다.

공업기업이 유통기능을 통합하려는 움직임을 챈들러는 세 개의 패턴으로 구분해서 설명하고 있다. 첫 번째는 저가격의 패키지 상품생산에 연속공정의 대량생산기술을 도입한 기업이다. 듀크 아메리칸 토바코(담배), 다이아몬드 매치(성냥), 퀘이커 오츠(시리얼), 캠벨·하인츠(통조림 식품), 프록터 앤드 갬블(비누), 이스트맨 코닥(사진기 필름) 등의 기업들이 이에 해당한다. 이들 기업의 생산능력은 기존의 유통기업이 가지고 있던 능력을 훨씬 넘어선 것이었다. 그래서 이들 기업은 독자적인 판매망을 미국 전역에, 더 나아가 전 세계로 확대시켜나갔다. 또한 연속적으로 제품을 생산하는 데 필요한 원재료를 확보하기 위해 구매의 방향에서도 유통기능을 통합시켰다.

두 번째는 사용과 유지보수(maintenance)에 특별한 서비스를 필요로 하는 제품을 생산하는 기업이다. 싱어(미싱), 맥코믹 하베스트·존 디어(농업기계), 레밍턴 타이프라이터·내셔널 캐시 레지스터(사무기기), 오티스 엘리베이터·웨스턴 일렉트릭·웨스팅(중기계) 등의 기업들이 있다. 그리고 세 번째는 부패하기 쉽기 때문에 유통과정에서 특별한 취급을 필요로 하는

그림 6-3   복수사업 · 복수기능 기업의 직능별 직계참모조직

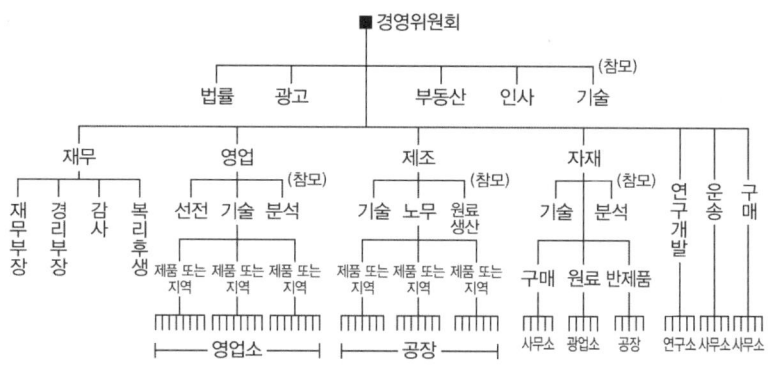

주: 1890년대 이전의 종합제조기업.
자료: 그림 6-2 참조.

제품을 생산하는 기업이다. 스위프트 · 아모어(식육가공회사) 등은 부패하기 쉬운 식육(食肉)을 전국에 공급하기 위해 냉장철도차량과 냉장창고를 구비한 지점망을 전국에 설치했다.

4) 경영자의 역할

생산기능과 유통기능을 통합시켜 전국적으로 사업을 전개해나간 대기업은 새로운 경영 관리상의 과제에 직면했다. 여러 지역에서 사업활동을 행하는 것만이 아니라 각 지역에서 생산과 유통에 관한 여러 직능을 담당하게 되었기 때문이다. 이러한 기업은 **직능별로 복수의 라인을 가지는** 직계참모조직을 도입했다(그림 6-3). 영업 · 제조 · 재료 등과 같은 직능별로 여러 지역에서 사업소를 저변으로 하는 지휘명령계통(라인)이 설정된 것

이다.

복수의 라인을 가지고 있는 대규모 기업조직을 효율적으로 관리하기 위해서 본사의 기능은 더욱 확충되었다. 사장, 이사회(取締役會)의 회장, 직능부장 등으로 구성된 경영위원회가 본사에 설치되어, 최고 경영간부 조직을 담당하게 되었다. 경영위원회의 주요한 기능에는 평가(評價), 조정(調整), 기획(企畵) 등이 있었다. **평가**는 각 직능부문과 기업 전체의 업적을 평가하는 것으로 투자수익률이 기본적인 기준이 된다. **조정**은 각 직능 상호 간에 과부족이 없이 원활하게 흘러갈 수 있도록 스케줄을 조정하는 것을 가리킨다. 그리고 **기획**은 장래의 사업방향을 생각해서 자원을 배분하는 기능을 말하며, 여기에서도 투자수익률이 기본적인 지침이 된다.

챈들러가 묘사하는 대기업의 최고 경영간부(톱 매니지먼트)의 역할은 모든 경제 시스템이 일반적으로 구비하고 있어야 할 기본적인 기능을 포함하고 있다. 이 책의 '초판 서문'에서도 이미 한 차례 언급했듯이, 일반적으로 경제시스템이 기능하기 위해서는 어떠한 장치에 의해 누가, 언제, 무엇을, 얼마나, 어떻게 생산하는지를 결정하는 코디네이션과 각각의 경제주체가 할당받은 일을 하는 데 적절한 동기를 부여하는 모티베이션을 실현시킬 필요가 있다. 챈들러의 저서가 최초로 간행된 1960년대 초반 이전까지 많은 경제학자들은 근대 이후의 선진 경제에서 코디네이션과 모티베이션이라는 두 가지 기능이 주로 시장기능에 의해 담당되어왔다고 생각하고 있었다.

이에 대해 챈들러는 19세기 말 이후의 미국에서는 **대기업의 최고 경영간부**가 코디네이션과 모티베이션 기능의 큰 부분을 담당하게 되었다는 견해를 제기한 것이다. 챈들러는 1977년에 간행한 그의 저서에 『보이는 손』이라는 제목을 붙이고, 시장의 '보이지 않는 손'이 아니라 경영자의 '보이는 손'이 자원배분의 주역이 되었다는 논점을 새롭게 강조했다.[13] 마그린의 논문과 비교해서 살펴보면, 챈들러는 "경영자는 무엇을 하는 걸까?"라는 질문에 대해 기업의 내부자료를 면밀히 조사해서 그 해답을 제시했다고 할 수 있다. 이러한 챈들러의 연구는 경제학 분야에 많은 영향을 미치게 되어, 그전까지는 오로지 시장의 분석에만 관심을 가져온 경제학이 본격적으로 조직의 분석으로 관심 분야를 넓혀가는 출발점이 되었다.

4. 생산·유통조직의 선택

1) 거래비용의 경제학

챈들러의 연구는 특히 앞서 살펴보았던 거래비용의 경제학에도 커다란 영향을 끼쳤다. 거래비용의 경제학에서는 거래에 동반되는 비용이 거래의 속성과 거래의 통치구조에 따라 다르다고 보고, 거래의 속성에 맞추어서 거래비용을 최소로 할 수 있는 통치구조가 선택된다고 설명한다. 거래의 속성 중에서도 가장 중시되는 것이 '자산특수성', 즉 거래에 관계되는 자산이 그 거래에서만 유효한 것인지 아니면 다른 거래에서도 전용될 수 있는 범용성을 가지고 있는지 하는 성질이다. 만약 자산특수성이 큰 자산을 시장을 통해서 거래한다면 높은 거래비용이 발생한다. 자동차 조립회사 A와 부품 생산회사 B 사이의 거래를 예로 들어 설명해보자.

A사가 B사로부터 부품을 구입할 때 A사는 자동차 조립에 들어가는

규격화된 부품을 요구하고, 그 부품을 생산하기 위해서 B사는 특별한 설비를 들여놓아야 할 필요가 있다고 하자. B사가 설치해야 하는 특별한 설비는 특수성이 높은 자산이다. 이 경우에 B사가 일단 설비투자를 하고 나면 A사와의 교섭에서 약자의 입장에 놓이게 된다. B사로서는 A사가 원하는 부품을 생산해서 A사에게 판매하는 것 이외에 그 설비를 다른 용도로 활용할 수 없기 때문이다. 이러한 상황을 이용해서 A사는 B사에 부품을 싸게 팔 것을 요구할 가능성이 있다. 그리고 이러한 사태를 사전에 미리 예상한 B사는 그러한 설비투자를 피하게 된다. 이것은 자산특수성이 커서 시장거래를 통한 거래비용이 높아지고 결국 거래가 성립하지 않게 되는 사례이다.

이러한 경우에, 예컨대 거래비용을 절약하는 통치구조로서 A사와 B사 간에 **장기계약**을 맺는 것을 생각해볼 수 있다. B사가 생산하는 규격화된 부품에 대해서는 A사가 일정한 기간에 걸쳐서 일정한 수량을 구입할 것을 사전에 미리 계약해두는 것이다. 그러나 (장기에 걸친) 미래에 예상되는 다양한 사태를 미리 상정하고 계약서를 작성하는 데는 많은 비용이 들어간다. 이것이 장기계약이라는 거래의 통치구조에 동반되는 거래비용이다. 이러한 비용이 높은 경우 A사는 부품을 외부에서 조달하지 않고 자사에서 생산하는 방식을 선택하게 된다. 이 경우에 거래는 기업에 내부화되고 기업조직이 거래의 통치구조가 된다. 즉, **수직통합**은 거래비용을 절약하기 위해 선택된 거래의 통치구조라고 해석할 수 있는 것이다.

2) 거래의 통치구조 선택과 기업조직

거래비용의 경제학의 관점을 이용하면, 챈들러가 밝혀낸 19세기 말 미국의 시장과 기업 간의 관계 변화를 잘 설명할 수 있다. 그러나 챈들러가 기업조직에서 거래의 내부화를 보편적이며 불가역적인 (일종의) 역사적 경향이라고 생각한 반면에, 거래비용의 경제학에서는 그것을 특정한 조건에서 생겨나는 하나의 가역적인 현상으로 파악했다. 이러한 시각을 강조한 이들이 나오미 라모루(Lamoreaux, N.), 다니엘 라프(Raff. D. M. G.), 피터 테민이라는 세 명의 경제사 연구자였다. 그들은 거래비용의 경제학이라는 시각에서 19세기 말에서 20세기 초에 이르는 미국 기업조직의 변화를 그려냈다.[14]

그들이 챈들러의 사관(史觀)을 수정하게 된 계기는, 거래비용의 경제학이라는 이론적 틀의 발전과 더불어 1980년대 이후 미국경제에서 발생한 기업조직의 커다란 변화였다. 챈들러가 1970년대 후반에 『보이는 손』을 간행했을 당시에는 20세기 전반과 마찬가지로 통합된 대기업이 미국경제에서 주요한 지위를 차지하고 있었다. 리처드 에드워즈(Edwards, R.)는 1919년부터 1969년의 기간 동안에 미국의 최대 규모 기업의 랭킹이 거의 변화하지 않았다는 사실을 밝혀냈다.

그런데 1990년대 말에 레슬리 한나(Hannah, L.)가 동일한 조사를 해본 결과, 다음과 같은 큰 변화가 있었음을 알 수 있었다(표 6-2). 1912년에 미국의 대규모 기업 상위 100개사에 들어가 있는 54개의 회사 중에서 1995년에도 여전히 상위 100개사에 포함된 회사는 겨우 17개사에 지나지 않았다. 게다가 마찬가지로 54개사 중에서 인플레이션을 조정해준 실질

표 6-2 **1912년 당시 미국의 100대 기업에 포함된 54개 기업의 장기동향 (1995년과의 비교)**

여전히 100대 기업의 지위를 유지한 기업	17사
존속하면서 1912년보다 규모가 커진 기업	26사
존속한 기업	48사
퇴출된 기업	6사

주: 기업의 규모는 주식의 시가총액을 기준으로 했다.
자료: Leslie Hannah, "Marshall's 'trees' and the Global 'Forest': Were 'Ginat Redwoods' Different?" in Naomi Lamoreaux et al.(eds.), *Learning by Doing in Matkets and Countries*, Chicago: University of Chicago Press, pp.253~256, 1999.

자본금액이 1912~1995년의 기간 동안 증가한 곳은 26개사뿐이었다. 이것은 1980년대 이후에 규모가 큰 기업들의 경영실적이 매우 좋지 않다는 것을 의미한다. 실제로 1980년대에는 복수의 사업을 통합한 콩글로메리트형 기업*의 주식가치가 폭락했고, 이 때문에 많은 기업들이 매수대상이 되어 결국 해체되어갔다.

19세기 말 이후에 진척되어온 수직통합과 20세기 말에 발생한 통합기업의 해체를 일관된 하나의 이론으로 설명하는 것은 가능할까? 먼저 19세기 말 이후 미국에서 수직통합이 진전된 이유를 다시 한 번 생각해보자. 이 시기의 미국에는 전국시장을 대상으로 대량생산을 계획하고 있는 기업이 있다 하더라도, 그러한 대량생산체제를 뒷받침할 수 있는 이용가능한 (제품과 원재료의) 유통기구가 아무것도 없었다. 전국 시장을 대상으로 하는

---

* 콩글로메리트(conglomerate)는 서로 업종이 다른 이종기업 간의 결합으로 나타난 기업형태를 가리키는 말로, 복합기업 또는 통합기업이라고도 한다(역자 주).

생산기업이 많지 않는 상황에서 유통기업이 그러한 생산기업의 수요에 대응하기 위해서 특수한 설비를 들여놓는 경우, 그러한 설비는 다분히 강한 자산특수성을 가지고 있었다고 생각할 수 있다. 그렇기 때문에 생산기업과 유통기업 사이에는 유통 서비스에 관한 거래비용이 높아지고, 그 결과 생산기업은 유통 서비스의 공급을 내부화 하는 편을 택했다고 볼 수 있다.

이에 비해 현대의 미국에서는 많은 유통기업이 설비와 전문적인 노하우를 축적해서 유통 서비스의 수요에 대응하는 것이 가능해졌다. 또 전국적인 유통 서비스를 필요로 하는 생산기업도 다수 존재한다. 따라서 생산기업이 유통 서비스를 이용하는 경우에 유통기업이 새롭게 설비투자를 할 필요도 없고, 투자된 설비의 자산특수성도 그렇게 크지 않다고 볼 수 있다. 만약 그렇다면 유통 서비스의 거래비용은 작다고 생각할 수 있다.

시장을 이용하는 비용이 크지 않을 경우, 거래를 기업조직의 안으로 내부화하는 것이 반드시 유리하지만은 않다. 조직 내의 거래에서도 고유한 비용이 발생하기 때문이다. 대표적인 것이 조직 내의 경제 주체들의 **인센티브**가 저하되는 것이다. 일반적으로 시장은 그 참가자들에게 강한 인센티브를 부여한다. 시장에서 경쟁은 효율이 낮은 기업이나 사람들을 거래에서 배제한다. 그리고 그러한 위협은 인센티브로서 기능한다. 이에 비해 조직의 내부에서는 시장만큼 직접적인 경쟁의 압력이 작용하지 않는다. 조직의 관리자가 다양한 인센티브 장치를 궁리해가며 효율성을 유지·향상시키기 위해 애쓰는 것은 그 때문이다.

위에서 언급한 대로, 19세기 말 이후 미국에서 형성된 통합기업에서는 **보고와 업적평가**라는 장치가 도입되었다. 이것들은 거래의 내부화에 동반되는 인센티브와 관련된 문제를 해결하는 기능을 담당했다고 볼 수 있다. 그리고 그러한 결과로 시장거래의 비용이 높았던 20세기 전반까지는 통합기업이 상대적으로 높은 효율성을 실현할 수 있었다. 그러나 시장거래의 비용이 낮아진 현대에서 20세기 전반과 같은 통합기업은 그 조직 내의 거래비용 때문에 상대적으로 비효율적이 되었다고 생각할 수 있다. 1980년대 이후의 미국에서 많은 수의 통합기업이 주식시장의 압력으로 해체되는 상황에 내몰렸던 사실이 그것을 잘 말해주고 있다.

❶ 니콜라스 크래프츠, *British Economic Growth during the Industrial Revolution*(Oxford: Oxford Univ. Press, 1985)을 읽어보고 영국의 산업혁명을 바라보는 새로운 시각을 구체적으로 정리해보자.

❷ 올리버 윌리엄슨, *Economic Institutions of Capitalism: Firms, Markets and Relational Contracts*(New York: Free Press, 1985)에서 9장을 읽어보고, 윌리엄슨이 거래비용의 경제학이라는 시각에서 공장제를 어떻게 파악하고 있는지 설명해보자.

❸ 알프레드 챈들러, *Strategy and Structure: Chapters in the History of the American Industrial Enterprise*(MIT Press, 1969)를 읽어보고, 이번 장에서 살펴본 챈들러의 기본 생각들을 다시 한 번 정리해보자.

❹ 레슬리 한나(Hannah, Leslie), "Delusions of Durable Dominance or the Invisible Hand Strikes Back: A Critique of the New Orthodoxy in Internationally Comparative Business History 1980s"(1995)를 읽고 챈들러에 대한 한나의 비판을 정리해보자.

❺ 미야모토 마타오·깃카와 다케오 외, 『일본경영사』(정진성 옮김, 한울, 2001)를 읽고, 일본 기업조직의 변천에 대해서 정리해보자.

노예제에서는 한 인간이 본인의 의사와는 상관없이 노예주의 소유물 또는 자산이 된다. 노예제는 고대에만 존재했던 생산조직이 아니다. 근대에 들어서도 남북전쟁 이후까지 미국의 남부에서는 노예제가 대규모로 발달해 있었다. 미국 남부의 노예제는 영국의 산업혁명이 불러온 면화 수요의 증대로 생겨났다. 남부에서 오랫동안 노예제가 지속될 수 있었던 것은 노예제의 '자본수익률'이 높았던 점과 노예농장의 생산성이 높았던 점 등에 바탕하고 있다. 노예농장에서는 생산성을 높이기 위한 코디네이션과 인센티브가 치밀하게 설계되었다.

자유농민에 의한 생산조직으로는 지주제가 있다. 지주와 소작농의 계약형태는 정액소작계약과 정율소작계약으로 구분되어 시대와 지역에 따라 양자의 분포가 달랐다. 계약형태의 선택은 계약이론으로부터 리스크 셰어링(Risk Sharing) 가설과 멀티태스킹(Multitasking) 가설(모럴 해저드가설)을 도출해낼 수 있다. 다니엘 에커버그(Ackerberg, A. D.) 등은 14세기 북부 이탈리아의 소작계약에 관한 데이터를 이용해서, 계약 선택의 요인에 대해서 분석하고 리스크 셰어링 가설보다 멀티태스킹 가설이 더욱 타당성이 높다는 사실을 밝혀냈다.

선대제는 때때로 공장제 이전부터 존재해온 오래된 생산조직으로 이해되고 있지만 실제로는 많은 지역에서 공장제와 병존해서 기능하고 있었다. 예를 들면, 덴마크에서는 공정의 표준화나 원재료의 규격화를 통해서 당시까지도 남아 있던 선대제와 얽혀 있는 관련 거래비용을 절약하고, 이러한 형태로 새롭게 적용한 선대제가 20세기 초까지 커다란 기능을 하고 있었다.

제7장

생산조직 II:
노예제 · **지주**제 · **선대**제

키워드 |

노예제, 정액소작계약, 정율소작계약, 리스크 셰어링,

멀티태스킹, 선대제

1. 노예제

1) 노예제란 무엇인가?

앞서 제6장에서는 현대의 선진국 경제에서 생산의 중심적인 기능을 담당하고 있는 공장과 기업이라는 생산조직의 역사를 살펴보았다. 그러나 인류의 역사를 되돌아보면, 인간이 노동을 해온 형태가 전부 임금을 받고 공장이나 기업에 노동을 제공하는 방식이었던 것만은 아니다. 이번 장에서는 공장과 기업 이외에 몇 가지 생산조직에 대해서 설명한다.

현대사회를 살고 있는 우리에게 가장 이질적이고 먼 존재로 여겨지는 생산조직은 아마도 노예제일 것이다. 공장제에서 노동자는 각자의 자유의사에 따라 고용계약을 맺고, 그러한 계약의 틀 안에서 공장경영자의 지시에 따르며 그 대가로서 임금을 받는다. 그에 비해 노예제에서는 노예가 될지 아닐지의 여부가 노예 본인의 의사와 전혀 관계없이 결정된다. 물리적 강압에 의해 구속(拘束)되거나 다른 노예주에게 금전적인 대가를 치루고 거래되는 방식으로 새로운 노예주의 손으로 넘어감으로써 노예는 노예주의 소유물이 된다. 노예는 금전적인 보수를 받지는 않는다. 단지 노예주에게 노예는 가치가 있는 자산이므로 노예가 생존하고 체력을 유지하기 위해 필요한 생활조건은 통상 노예주가 제공한다.

고대에는 여러 지역에서 노예제가 관찰된다. 로마제국의 노예제는 비교적 잘 알려져 있는 편이지만 일본에도 노예 신분은 존재했었다. 그러나 노예제라는 비인도적인 제도가 전 세계에서 자취를 감춘 것은 사실 그리 오래되지 않았다. 미국 남북전쟁 직후인 1865년에 노예해방이 실시되었을 때만 해도 노예제는 미국 남부의 경제를 뒷받침하고 있었다. 일본의 메이지시대 직전에 해당하는 시기까지도 세계에는 대규모로 노예제가 존재했던 것이다. 다음에서는 경제사 분야에서 많은 연구가 축적되어 있는 18~19세기 미국 남부의 노예제에 대해 살펴보도록 하자.

2) 면화 재배와 미국 남부의 노예제

미국 남부의 노예제는 **면화 재배**와 밀접한 관련이 있었다.[1] 18세기까지만 하더라도 미국 남부의 주요 작물은 면화가 아니라 담배였다. 그런데 18세기 말 이후에 두 가지 사건이 미국 남부의 농업에 커다란 변화를 가져왔다. 첫 번째는 앞서 살펴본 바와 같이 영국의 산업혁명이다. 영국 면공업의 확대는 면화 수요의 증대를 가져왔다. 두 번째는 엘리 휘트니가 조면기(cotton gin, 목화씨를 빼내는 기구)를 발명한 것이었다.

한편, 이 시기에는 면화를 재배하는 농장주들이 고용 노동력을 확보하는 것이 매우 힘든 일이었다. 자유로운 노동자들은 농업 노동자가 되기보다 자작농이 되기를 선호하는 경향이 강했기 때문이다. 그랬기 때문에 남부의 농장주들은 노예 노동력에 의존할 수밖에 없었다. 노예는 주로 아프리카에서 조달되었다. 1808년에 의회는 노예의 국제무역을 금지했지만, 그때까지 약 66만 명의 노예가 아프리카에서 미국으로 수입되었다고 추정된다. 노예의 국제무역이 완전히 금지된 이후에도 국내에서의 노예 판매는 여전히 합법적으로 이루어지고 있었다. 미국 남부의 노예제는 면화시장을 통해서 영국 산업혁명과 연결되어 있었던 것이다.

남북전쟁의 원인 중 하나는 노예제의 존속을 주장하는 남부와 폐지를 주장하는 북부의 대립이었다. 남부의 모든 주(州)가 왜 노예제를 고집했던 것일까? 한 가지 추측할 수 있는 것은 노예를 이용하고 있는 농장주에게 노예제가 가져다주는 편익이 컸기 때문이라는 것이다. 이러한 관점에서 몇몇의 연구자들은 **노예투자**가 과연 어느 정도의 수익을 농장주들에게 가져다주었는지에 대해서 계산을 했다. 알프레드 콘래드(Conrad, A. H.)와 존 메이어(Meyer, J. R.)는 1950년대 말이라는 아주 이른 시기에 오늘날의 연구결과와 비교해도 손색이 없을 정도의 치밀한 추계를 실시했다. 그들은 표준적인 주식투자의 수익률을 계산하는 데 사용되는 계산식을 이용해 노예투자에 적용했다. 농장주가 노예 한 단위를 투자할 때(노예 한 명을 구입할 때)는 노예를 부리는 데 필요한 토지와 설비에도 동시에 일정금액을 투자한다고 가정한다. 노예 한 명의 가격과 대응되는 토지 · 설비 가격의 합계를 C로 하고, 노예가 가져다주는 연간 순수익, 토지 · 설비가 가져다주는 연간 순수익을 각각 R, E라고 하자. 그리고 노예를 부릴 수 있는 기간을 n이라고 하면 노예투자의 수익률 i는 다음과 같은 식으로 나타낼 수 있다.[2]

▌ 수식 7.1 ▌
$$C = \frac{R+E}{i}\left[1 - \frac{1}{(1+i)^n}\right]$$

추정 결과, C의 값은 토지의 질에 따라 달라지며 1350달러에서부터 1700달러 사이에 분포하고 있었다. $R+E$는 노예에 의한 면화의 평균생산량에 면화가격을 곱해준 다음 다시 그 값에서 노예의 유지비용을 빼서 산출되었다. $R+E$도 토지에 따라 일정한 폭을 가지는 값이 도출되었다. n은 1850년의 생명표를 근거로 30년으로 계산되었다. 이상의 데이터에서 구할 수 있는 i는 연율 4.5~8.0%, 평균은 6%였다. 이는 당시의 채권투자의 수익률과 거의 동등한 수준에 해당한다. 콘래드와 메이어는 여성 노예의 경우, 노예가 낳을 수 있는 어린아이의 가치도 고려했다. 노예에게서 태어난 아이들은 마찬가지로 노예로 이용할 수 있으며, 판매의 대상이 되기도 하기 때문이다. 태어나는 아이들의 숫자에 따라 수익률도 각각 달라서 어린아이가 5명인 경우 7.1%, 10명인 경우 8.1%로 추계되었다. 노예투자의 수익률이라는 개념에 대한 윤리적인 저항감을 별도로 한다면 콘래드와 메이어의 추계 자체는 상당히 타당성이 있으며, 오늘날에도 연구자들 사이에 널리 받아들여지고 있다. 즉, "노예제는 이익을 가져다주었다(profitable)"는 것이다.

3) 노예노동의 생산성

만약 노예제가 충분한 이익을 가져다준다고 한다면, 그다음 질문은 그 이유이다. 노예를 이용하는 면화농장은 자유농민의 면화농장과 경쟁관계에 있었기 때문에, 그 질문은 왜 노예농장은 자유농민의 농장에 비해 경쟁력이 있었는가 하는 문제로 환원해볼 수 있다. 로버트 포겔과 스탠리 앵거먼(Engerman, S. L.)은 이러한 문제에 대해 고찰했다.[3] 그들은 먼저 1860년에 지역 간에 농업의 생산성(총요소생산성)을 비교했다. 노예제가 보급되어 있는 남부와 노예제가 없었던 북부를 비교한 결과(표 7-1), 남부가 북부보다 34.7% 생산성이 높았다는 사실이 밝혀졌다. 남부에도 자유농장은 있었기 때문에, 만약 남부의 자유농장에서 생산성이 현저하게 높았다고 하면 지역 간의 생산성 격차는 노예제의 효과를 나타내는 것이 될 수 없다. 이러한 점을 고려해서 남부의 노예농장만을 따로 떼어내 북부와 비교해보면, 생산성 격차는 오히려 40.4%로 더 벌어진다.

표 7-1 미국 남부 노예농장의 생산성(북부=100)

농장의 규모(노예 수)	
0명	109.3
1~15명	117.7
16~50명	158.2
51명 이상	145.9
전체 노예농장	140.4
전체 농장	134.7

자료: Robert W. Fogel and Stanley L. Engerman, "Explaining the Relative Efficiency of Slave Agriculture in the Antebellum South," *American Economic Review*, 1977, pp. 67~63.

이러한 결과로부터 노예농장의 높은 수익률은 높은 생산성에 기인한 것이라 볼 수 있다. 그렇다면 왜 노예농장의 생산성이 높았던 것일까? 공장 노동자들과는 달리 노예는 더 높은 임금을 받기 위한 인센티브가 작동해서 일을 했던 것은 아니다. 그리고 평생 노예라는 것을 운명으로 받아들여야 하는 노예들에게는 게으름을 피우면 해고하겠다는 위협도 통하지 않는다. 일반적으로 이러한 경우 높은 생산성을 유지하기란 쉽지 않다. 그러나 포겔과 앵거먼은 노예노동에 관한 기록을 관찰해서 노예농장이 생산성이 높은 원인을 찾아냈다. 그들이 발견해낸 원인은 **노예노동력의 배분**에 관한 것과 **노예 개개인의 생산성**에 관한 것으로 구분할 수 있다.

먼저 노예노동력의 배분에 대해서 살펴보면, 우선 첫 번째로 노예농장에서는 1년을 단위로 노예노동력에 잉여가 발생하지 않도록 적절한 작물의 조합이 선택되었다는 점을 들 수 있다. 주된 작물인 면화를 생산하기 위한 노동에는 커다란 계절적 변동이 존재했다. 그렇기 때문에 면화생산에서 농작업이 절정에 달하는 시기를 기준으로 노예를 소유하면, 면화 수확기 이외의 시기에는 잉여노동력이 발생하고 만다. 그래서 노예농장에서는 농작업에서 가장 일손이 많이 필요한 시기(농번기)가 면화와 서로 겹치지 않는 작물을 선택하게 되었다. 이러한 목적에는 옥수수가 가장 적합했다. 옥수수는 씨 뿌리는 시기가 면화보다 빠르고, 다행스럽게도 수확기는 유연하게 선택할 수도 있었다.

두 번째는 노예 개개인의 능력을 평가해서 가장 적합한 작업에 노동을 배분했다는 점이다. 능력치가 높은 노예들은 경지(耕地)에서 일해야 하는 농작업에 배치되었다. 그중에서도 특별히 능력치가 높은 노예들, 구체적으로는 20~30대의 젊은 남자 노예들은 가래를 이용한 작업에 배치되었다. 경지에서 해야 하는 작업 중에서 괭이를 이용한 작업은 그다음으로 능력치가 높은 소년 남자 노예들과 성년 여자 노예들에게 할당되었다. 고령의 남자 노예들은 가축을 돌보거나 정원사나 가사노동 등에 종사했고, 고령의 여자 노예들은 아이를 돌보거나 가사노동에 배치되었다.

그다음으로 노예 개개인의 생산성을 끌어올리기 위해 노예의 노동조직을 적절히 설계하는 것에 노력을 기울였다. 노동조직은 계절에 맞추어 농작업의 종류별로 설계되었다. 목화의 파종작업에서 노예들은 세 가지 작업 집단으로 조직되었다. 첫 번째는 선두에 서서 7에서 10인치 간격으로 파종용의 구멍을 뚫는 집단, 두 번째는 그 구멍으로 4~5개의 목화씨를 집어넣는 집단, 마지막으로 세 번째는 괭이로 흙을 덮는 집단이다. 목화의 파종작업을 세 가지의 단순작업으로 분해해서 각각을 서로 다른 노예집단에게 담당시키고 더불어 세 개의 그룹이 순서에 맞춰 작업을 할 수 있도록 조직했던 것이다.

또한 앞서 말한 것과 관련해서 각각의 그룹 안에서도 노예들 개개인의 능력에 맞춘 배치가 이루어졌다. 첫 번째 그룹에는 판단력과 체력이 가장 뛰어난 노예들이 배치되었다. 가장 능력이 떨어지는 노예들은 두 번째 그룹으로, 능력치가 중간에 속하는 노예들은 세 번째 집단에 각각 배치되었다. 목화가 생육되는 기간에는 가래를 이용하는 집단과 괭이를 이용하는 집단이 따로따로 조직되었다. 먼저 괭이를 이용하는 집단이 잡초를 골라내고 필요 없는 싹을 솎아낸다. 그 뒤에 가래를 이용하는 집단이 흙을 뒤집어서 목화 종자의 주변으로 흙을 쌓는 북돋우기 작업을 한다. 그러면서 감독자는 가래를 이용하는 집단과 괭이를 이용하는 집단의 가운데에서 양쪽으로 왕복하며 두 집단의 작업 페이스가 가지런해지도록 독려함과 동시에 작업의 질을 체크한다. 이러한 파종작업과 제초작업에서 공통되는 특징은 복수의 작업집단이 상호의존적인 관계를 형성하도록 작업내용이 설계되었다는 점이다. 이렇게 해서 각 집단은 상호 간 작업속도에 압력을 가하도록 되어 있었다.

지금까지 살펴본 바와 같이 포겔과 앵거먼은 노예농장의 생산성이 자유농장에서보다 상대적으로 높았다는 사실을 밝혀냈다. 또한 그와 동시에 노예농장에서는 노동력 배분과 노동조직의 설계에 신경을 쓰고 있었기 때문에 생산력을 높일 수 있었다는 시각을 제시했다.

물론 필요에 따라 노예에 대한 체벌도 행해졌다. 포겔과 앵거먼은 루이지애나 주에서 노예농장을 운영하던 농장주의 일기를 기반으로 채찍질의 횟수에 관한 데이터를 제시했다(그림 7-1). 1840년경 이 농장에는 약 200명의 노예가 있었는데, 그중 약 120명이 노동력으로 이용되고 있었다. 이 120명의 노예에 대해 1840년 12월 이후 2년간 총 160회의 채찍질이 행해졌다. 노예 한 명에게 연평균 0.7회의 채찍질이 가해진 셈이다.

그림 7-1　2년간 채찍질 횟수의 분포

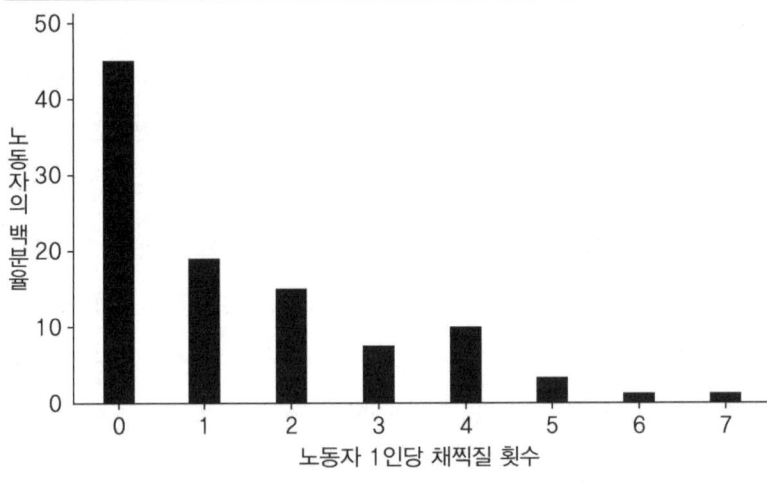

주: 1840년 12월 이후 2년간 베넷. H. 바로 농장의 채찍질을 기록한 그래프임.
자료: R. W. フォーゲル, S. L. エンガーマン, 『苦難のとき－アメリカ・ニグロ奴隷制の
　　　經濟學』, 田口芳弘・榊原胖夫・澁谷昭彦譯, 創文社, 1981, p. 111.

4) 노예제의 인센티브 구조

　　노예들에게 가해진 체벌에 주목한 스테파노 페놀티(Fenoaltea, S.)는 거래
비용의 경제학의 관점에서 노예제의 인센티브라는 측면에 초점을 맞춘
이론적인 분석을 실시했다.[4] 그는 노예제에서는 보수에 의한 인센티브가
기능하고 있지 않은 반면에 태만에 대해 고통을 가하는 인센티브가 주어
지고 있었다고 생각했다. 페놀티는 그러한 전제 아래 보수의 인센티브와
고통의 인센티브의 차이에 대해 고찰했다.

　　페놀티에 의하면 고통은 그것을 피하기 위해 일하는 사람들의 노력수준
을 높이는 데 효과적이다. 고통에 대한 공포는 사람들에게 강한 동기부여

가 된다. 그러나 고통의 인센티브는 주의를 기울여야 하는 작업에서는 능률을 증대시키는 효과가 없다. 더욱이 감독자에 대한 좋지 않은 감정 때문에 성의 없이 대충 작업을 하는 경우도 있을 수 있다. 또 한편으로 페놀티는 작업에 따라서 필요한 집중도에는 차이가 있다고 보았다. 그렇기 때문에 집중해서 주의를 기울여가며 해야 하는 작업에는 고통의 인센티브가 아닌 보수의 인센티브가 이용되며, 주의를 별로 필요로 하지 않는 작업에는 고통의 인센티브가 이용된다는 것이 그의 기본적인 아이디어였다.

페놀티는 이러한 이론적 틀을 기반으로 하여 몇 가지 사실을 예상해본 뒤, 역사상 존재했던 생산조직과 대조해가며 그 타당성을 테스트해보았다. 고대 아테네에서는 노예를 오로지 은 광산에서만 이용했다. 또 고대 로마제국시대에 로마제국 이외의 지역에서는 노예가 거의 이용되지 않았지만, 로마제국의 영토에 해당하던 스페인, 이집트, 소아시아 등의 광산에서는 노예가 널리 이용되었다. 반대로 고대에는 자유민이 광산에서 일하는 것은 매우 드문 일이었다. 더욱이 근대 초기에 최초로 신대륙에서 아프리카로부터 노예를 도입한 것도 역시 광산이었다. 광산 노동은 딱히 주의를 기울일 필요가 없는 단순한 작업이므로 이러한 역사적 사실들은 페놀티의 이론적 예상과도 부합한다고 할 수 있다.

그렇다면 이러한 틀을 이용해서 미국 남부의 노예제를 어떻게 설명할 수 있을까? 페놀티는 남부의 농장에서 재배되고 있던 것이 목화나 옥수수 등 1년생 작물이었다는 점이 중요하다고 말한다. 1년생 작물의 경우에 포도나 올리브와 같은 다년생 작물과 달리 (내년이나 그 이후에나 가능한) 수확을 위해 주의를 기울여가며 작물을 관리할 필요가 없다. 이것이 남부에서 고통의 인센티브를 이용한 노예제가 높은 생산성을 달성하고, 노예제가 법적으로 금지될 때까지 오랜 세월 동안 존속될 수 있었던 이유이다. 그리고 이러한 추론을 바탕으로, 포도나 올리브를 주요 작물로 재배하고 있던 고대 지중해의 모든 지역에서는 노예제에 의한 농업생산이 발달하지 않았다는 사실도 설명할 수 있다.

페놀티의 논문은 1984년에 발표된 것이지만 그가 제시한 생각은 나중에 등장하게 될 계약이론의 분야에서도 **멀티태스킹** 문제와 깊은 관련이 있다. 벵트 홀름스트롬(Holmstrom, B.)과 폴 밀그롬은 고용주(주인)가 대리인에게 **복수의 작업**을 요구하는 멀티태스킹에 강력한 인센티브를 부과하는 것은 바람직하지 않다고 주장한다.[5] 강력한 인센티브를 부과하면 인센티브가 부과된 작업에 대해서는 노력을 기울이지만 감시하기 힘든 다른 작업은 그만큼 소홀해지기 때문이다. 페놀티의 논문에 근거해서 설명해보면, 노예들에게 단순히 열심히 하면 되는 일과 주의를 기울여가며 집중해서 해야 하는 일 두 가지를 동시에 요구할 경우 고통의 인센티브를 자극하는 것은 적당하지 않다고 할 수 있다. 이것은, 노예제와 같이 고통에 의해 강력한 인센티브를 부과하는 생산조직은 한정된 분야에서밖에 존속될 수 없다는 것을 의미한다.

2. 지주제

1) 지주제의 인센티브 구조

그렇다면 다년생 작물을 재배하거나 토지와 같은 자산에 집중해서 주의를 기울이며 해야 하는 작업의 경우에는 농장주 자신이 직접 경작하는 형태, 즉 자작농밖에 가능하지 않은 것일까? 대답은 반드시 그렇지만도 않다는 것이다. 한 가지 가능한 방법은 임금을 지불하고 농업 노동자를 고용하는 것이다. 또 한 가지는 지주가 토지를 농민(소작인)에게 빌려주고 소작인한테서 지대(소작료)를 받는 방법이다. 전자는 근대 영국이나 현대 미국 등에서 볼 수 있는 농업 생산조직이다. 그리고 후자는 시대와 지역을 불문하고 널리 관찰할 수 있는 농업 생산조직이다. 일본에서도 제2차 세계대전 이전에는 농업에서 **지주제**가 널리 보급되어 있었다. 임금의 지불을 통해 농업 노동자를 고용하거나 소작인에게 토지를 빌려주는 이러한 두 가지 농업 경영방식은 농장 경영자와 농업 노동자 그리고 지주와 소작인 간의 각각 다른 계약형태로서 표현할 수 있다.

그림 7-2(a)는 농장 경영자와 농업 노동자 사이의 임금계약을 표현한다. 가로축은 생산량을, 세로축은 농장 경영자 내지 농업 노동자의 몫을 나타낸다. 여기에서는 지주제와의 차이를 명확히 하기 위해서 임금은 성과급제의 형태가 아닌 정액임금, 즉 얼마만큼 노력했는지의 여부와 관계없이 시간당 임금이 일정한 경우를 가정하고 있다. 이 경우 노동자의 노력수준이 상승함에 따라서 생산량은 가로축을 따라 오른쪽으로 이동해가지만 노동자의 몫은 변함없이 일정하다. 그리고 **그림 7-2(a)**의 45도선에서부터 임금을 뺀 나머지 부분이 농장 경영자의 몫(이윤)이 된다. 즉, 노동자가 아무리 노력을 해도 노동자가 취할 수 있는 몫은 증가하지 않고 생산량의 증가분은 모두 경영자의 몫이 된다.

이에 비해, **그림 7-2(b)**는 정액의 지대로서 지주가 소작인에게 토지를 빌려주는 경우를 표현한다. 임금계약의 경우에서와 마찬가지로 소작인의

그림 7-2　세 가지 다른 계약형태

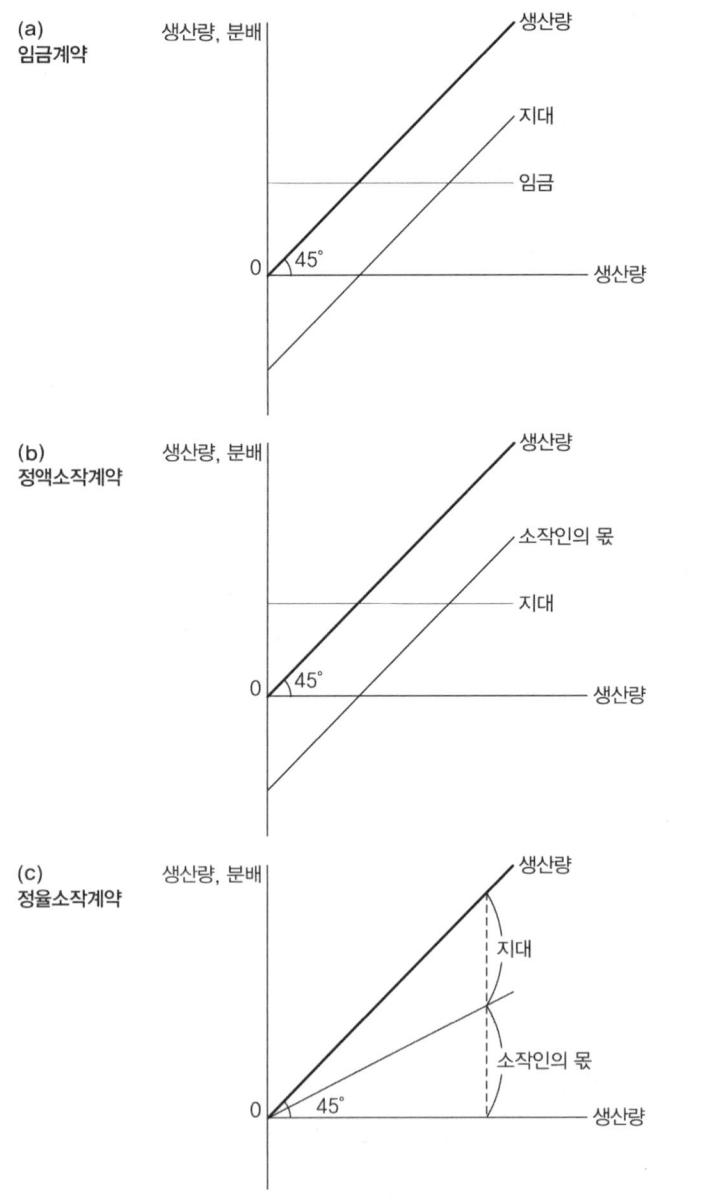

노력수준이 상승해가는 것에 따라 생산량은 증가하지만 그 배분의 방법은 크게 다르다. 이번에는 생산량이 아무리 증가해도 지주의 몫은 증가하지 않고 생산량의 증가분은 오로지 소작인의 몫의 증가로 반영된다.

농업 노동자와 소작인을 일괄해서 농민이라고 한다면, 임금계약보다 **정액소작계약** 쪽이 명확하게 농민에게 강한 인센티브를 부여하고 있다고 말할 수 있다. 노력수준의 상승이 그대로 농민이 취할 수 있는 몫의 증가로 나타나고, 반대로 태만했을 경우에는 그 결과 발생한 생산량의 감소가 그대로 농민이 취할 수 있는 몫의 감소로 나타나기 때문이다. 한편, 임금계약의 경우에는 이러한 인센티브가 전혀 기능하지 않는다. 따라서 농장 경영자는 농민이 태만해지지 않도록 감시를 해야 할 필요가 있다. 1절에서 살펴본 노예제는 **그림 7-2(a)**에서 임금이 0인 경우에 해당한다. 노예 농장주가 체벌을 포함해 노예의 노력수준을 높이기 위해서 다양한 궁리를 하는 것은 그 때문이다.

농민에게 증산 인센티브를 부여할 수만 있다면, 임금계약이 지주나 농장 경영자에게는 유리하다. 그러나 노예제에서와 같이 농민을 감시하는 비용이 발생한다면 오히려 정액소작계약이 유리할 수도 있다. 그러나 현실에서의 농업계약을 이해하기 위해서는 다른 두 가지 사정을 고려할 필요가 있다. 첫 번째는 앞에서도 살펴본 **멀티태스킹**이다. 정액소작제에 의해 농민에게 강력한 증산 인센티브를 부여하면, 다년생 작물이나 그 외의 자산 등이 증산을 위해 혹사되어 농장 경영자나 지주는 크게 손해를 입을 가능성이 있다. 두 번째는 농민이 부담하는 **리스크**이다. 생산량을 결정하는 것은 농민의 노력수준만이 아니다. 날씨 등 농민이 컨트롤할 수 없는 요인도 생산에 큰 영향을 미친다. 정액소작계약에서는 이러한 외적인 요인에 의한 리스크를 전부 농민이 부담하는 셈이 된다.

농민이 지주나 농장 경영자에 비해서 궁핍하다고 가정한다면, 농민은 리스크 때문에 정액소작계약을 바라지 않을 수도 있다. 그 때문에 농민이 정액소작계약을 받아들이게 하기 위해서 지주는 소작료를 좀 더 낮게 설정해야 하고 그만큼 지주의 몫은 줄어든다. 이러한 두 가지 사정을 고려해보면, 정액소작계약이 임금계약에 비해서 농장 경영자나 지주에게 반드시 유리하다고 할 수만은 없다.

이와 같은 리스크와 멀티태스킹을 고려한 경우, 제3의 계약형태가 선택될 가능성이 있다. 그림 7-2(c)로 표현되는 **정율소작계약**이라고 불리는 형태가 바로 그것이다. 정율소작계약은 생산량의 일정 비율을 지대로서 지주에게 지불하는 계약으로, 임금계약과 정액소작계약의 중간쯤에 위치한다. 즉, 소작인이 노력수준을 상승시키면, 늘어난 생산량에서 일정비율 (1 - 소작료율)만큼 자신의 몫도 증가한다. 그리고 다른 한편으로 생산이 감소할 수도 있는 외부의 리스크를 소작인뿐만 아니라 지주도 일부 부담하게 된다. 즉, 지주와 소작인이 리스크를 분담하는 것이다.

2) 14세기 북부 이탈리아의 소작계약 선택

이러한 계약이론의 틀을 이용해서 현실에서 소작계약의 선택에 관해 분석한 연구는 셀 수 없이 많다. 현재의 개발도상국에 관한 실증연구뿐만 아니라 소작계약에 대한 경제사 연구도 많이 행해져 왔다. 다니엘 에커버그와 마리스텔라 보티치니(Botticini, M.)가 행한 14세기 이탈리아의 소작계약 선택에 관한 연구는 소작계약에 관한 경제사 연구의 대표적인 업적 중 하나이다.[6] 이 논문에서 그들은 정율소작과 정액소작이라는 두 가지

계약형태 사이에서 선택에 관한 문제를 다루었다. 북부 및 중부 이탈리아에서는 14세기까지 정율소작계약이 지배적이었고, 그 후 수세기에 걸쳐 그러한 상태가 지속되었다. 중세 말기부터 1700년 전후까지의 프랑스에서도 정율소작이 일반적이었다. 그러나 유럽의 다른 지역에서는 오히려 정액소작이 일반적이었다. 제2차 세계대전 이전의 일본에서도 정액소작이 일반적인 형태였고, 정율소작은 이와테 현(岩手縣)과 같은 한정된 지역에서만 관찰할 수 있다.

왜 중세 후기의 이탈리아와 근세 초기의 프랑스에서만 정율소작이 보급되었던 것일까? 앞서 시사한 바와 같이, 두 개의 이론적인 가설, 즉 리스크 분담과 멀티태스킹의 문제를 생각해볼 수 있다. 에커버그와 보티치니는 15세기 이탈리아 피렌체의 개별 지주와 개별 소작인에 관한 데이터를 이용해서 이 두 가지 가설의 타당성을 검증했다. 이용된 데이터는 상당히 상세한 것이었다. 1427년에 피렌체의 도시정부는 재정수입을 확보할 목적으로 시민 6만 명의 전 자산에 관한 통계조사를 실시했다. 조사항목에는 집·토지·가축·작물의 종류, 과거 3년간의 평균수확량, 채권·채무 및 동업관계의 지분, 직업, 가족구성, 토지의 이용형태(자작, 정액소작, 정율소작), 소작인에 대한 가축·종자·신용의 공여유무가 포함되어 있었다. 소작계약 선택의 분석에 이용된 역사적 데이터로서는 더이상 바랄 게 없는 완벽한 자료라고 할 수 있다. 에커버그와 보티치니는 페시아와 산디미니야노라는 두 개의 마을에 관한 데이터를 사용하고 있다. 이들 두 마을에서 먼저 185명의 지주를 샘플로 추출하고, 거기에서 다시 소작인과의 관계를 명확히 알 수 있는 111명의 지주를 골라냈다. 이들 111명의 지주는 총 652구획의 경지를 소작인들에게 경작시키고 있었고, 그중에서 61%가 정율소작, 39%가 정액소작이었다.

가설 검증에 적용된 아이디어는 다음과 같다. 리스크 셰어링 가설로부터는 다음의 두 가지가 예상되었다. 첫째, 리스크 회피적인 소작인일수록 정액소작을 선택할 확률이 낮아진다. 따라서 자산이 적은 소작인일수록 정액소작을 선택할 확률이 낮아진다고 예상할 수 있다. 둘째, 수확변동이 큰 작물이 재배되는 경지일수록 정액소작을 선택할 확률이 낮아진다. 한편, 이 지방에서 많이 재배되고 있는 포도는 날씨에 따라 수확량이 좌우되기 쉬운 성질을 가지고 있기 때문에 포도를 재배하는 경지일수록 정액소작을 선택할 확률이 낮아진다고 예상할 수 있다. 다른 한편 멀티태스킹 가설로부터는 다년생 작물을 재배하고 있을 경우와 지주가 가축을 제공하는 경우에 정액소작이 선택될 확률이 낮아진다고 예상할 수 있다. 포도는 날씨에 따라 수확량의 변동이 크고(리스크 셰어링 가설) 다년생 작물이므로(멀티태스킹 가설), 계약선택과 관련된 두 가설에서 공통적으로 정액소작이 선택될 확률이 낮다고 예상할 수 있다.

멀티태스킹 가설은 넓은 의미에서 **모럴 해저드**(moral hazard)에 관한 가설이라고도 한다. 감시하기 쉬운 작업에 강력한 인센티브를 부여하면 다른 작업에서 소작인의 모럴 해저드를 발생시킨다는 가설이기 때문이다. 이러한 넓은 의미의 모럴 해저드 가설로부터 또 한 가지, 지주의 감시능력이 높을 경우 정액소작이 선택될 확률이 낮아진다는 예상을 도출해낼 수 있다. 감시능력이 높아지면 정액소작에 의한 강한 (증산) 인센티브를 부여할 필요성이 줄어들기 때문이다. 따라서 지주가 농업 이외의 다른 직업을 가지고 있거나 여성인 경우에는 감시능력이 떨어지므로 정액소작이 선택될 확률이 높을 것으로 예상할 수 있다. 반대로 지주에게 가족이

표 7-2	14세기 북부 이탈리아의 소작계약 선택

피설명변수: 정액소작계약의 경우가 1인 더미변수		
추정법: Probit		
작물구성	-1.70	(0.21)
비농업 지주	-0.13	(0.25)
여성 지주	-0.38	(0.45)
지주의 남성가족수	0.12	(0.11)
지주의 여성가족수	-0.23	(0.15)
소작인의 자산	0.0005	(0.001)
소작인의 남성가족수	-0.19	(0.14)
소작인의 여성가족수	0.28	(0.14)
소작인의 가축소유	-1.35	(0.37)
경지의 위치	-1.24	(0.27)
상수항	1.50	(0.37)
대수우도	-128.22	
관측수	652	

주: ( ) 안의 수치는 표준오차.
자료: Daniel A. Ackerberg and Maristella Botticini, "The Choice of Agrarian Contracts in Early Renaissance Tuscany: Risk Shareing, Moral Hazard or Capital Market Imperfections?" Explorations in *Economic History*, 37, 2000.

많고 감시능력이 높을 경우에는 정액소작이 선택될 확률이 낮아진다고 예상할 수 있다.

표 7-2는 정액소작계약이 선택되었을 경우를 1, 정율소작계약이 선택되었을 경우를 0으로 하는 더미변수를 피설명변수로 놓은 회귀분석의 결과이다. 피설명변수로서 0과 1이라는 두 가지의 값이 선택되기 때문에 추정은 프로빗(probit)이라는 방법이 사용되었다. 작물구성은 1년생 작물의 경우 0, 다년생 작물의 경우 2, 양자가 혼합되어 있을 경우에는 1이 되는 변수이다. 비농업 지주는 지주의 직업이 비농업인 경우에 1이 되는 더미변수, 여성 지주는 지주가 여성인 경우 1이 되는 더미변수이다. 소작

인의 자산은 화폐로 측정된 자산액이 사용되었다. 소작인의 가축 소유는 소작인이 가축을 소유하고 있는 경우에 1이 되는 더미변수, 경지의 위치는 경지가 산디미니야노에 있는 경우에 1이 되는 더미변수이다.

회귀분석의 결과, 멀티태스킹 가설로부터 도출된 예상들은 기각되지 않았다. 첫 번째로 다년생 작물을 재배하고 있는 경우에는 정액소작을 선택할 확률이 유의하게 낮다는 관계가 있었다. 단지 이러한 예상은 마찬가지로 리스크 셰어링 가설로부터도 이끌어낼 수 있다(예컨대, 포도의 경우). 두 번째로는 지주가 자신이 소유한 가축을 소작인에게 제공하는 경우, 정액소작계약을 선택할 확률이 유의하게 낮다는 관계가 있었다. 한편, 감시능력에 관한 가설(모럴 해저드 가설)과 관계 있는 변수(비농업 지주, 여성 지주)는 그 어느 것도 통계적으로 유의하지 않았다. 또 리스크 셰어링 가설을 통해서만 도출되는 고유한 변수인 소작인의 자산계수도 통계적으로 유의하지 않았다. 이상의 결과는 15세기 피렌체의 소작계약의 선택 문제를 설명할 때, 리스크 셰어링 가설은 유효하지 않고 멀티태스킹 가설이 유효하다는 것을 말해준다.

3. 선대제

1) 선대제의 구조

지주제에서 지주는 토지라는 농업생산에 필요한 자산을 소작인에게 빌려주고 소작인은 자율적인 노동을 통해 작물의 일부를 지주에게 지불한다. 공업에서도 이것과 유사한 생산조직이 있다. 바로 선대제라고 불리는 생산조직이다. 선대제에는 선대주인 상인이 생산자에게 원료를 빌려주고 무엇을 만들지에 대해서도 지시를 내린다. 생산자는 선대주의 지시에 따라 자신의 작업장에서 제품을 생산하고, 선대주는 완성된 제품을 회수해 간다. 즉 원료와 제품에 관한 소유권은 일관되게 선대주에게 있고, 선대주는 생산 서비스에 대한 대가로서 생산자에게 공임을 지불할 뿐이다. 생산에 필요한 도구는 선대주가 대여하는 경우와 생산자가 자신의 도구를 사용하는 경우가 있다.

선대제의 역사에 관한 고전적인 문헌으로서 데이비드 란데스의『서유럽 공업사』제2장을 들 수 있다.[7] 란데스는 영국의 산업혁명에 의해 형성된 공장제에 선행하는 생산조직으로서 선대제에 대해 기술하였다. 란데스에 의하면, 선대제의 시초는 13세기에 독립한 수공업자들이 그 독립성을 잃고서 선대주의 관리 아래 들어간 것이 그 계기가 되었다. 이러한 생산조직의 변화는 제품시장의 전환으로 발생하게 되었다. 제품의 판매처가 그 지역의 고객들에서 점차 원격지의 시장으로 넓어졌지만, 수공업자들은 그러한 시장의 변동에 대응하지 못했다. 첫째, 그들은 수요의 증감에 대응하기 위한 자금의 조달능력이 현저하게 떨어졌다. 둘째, 잘 팔릴 것 같은 제품만을 골라내서 그러한 제품생산을 특화시키는 능력이 부족했다. 수공업자들 대신에 이러한 능력을 보유하고 있었던 것은 도시의 상인들이었다. 도시의 상인들은 선대제에 의해 농촌의 수공업자들을 조직하고 그것을 통해 농촌의 값싼 노동력을 이용할 수 있었다. 특히 농촌의 농한기에는 많은 잉여노동력이 존재했기 때문이다.

란데스는 앞에서 살펴본 대로 선대제의 비용에 대해서도 강조한다.

즉, "생산자는 상인에 의해 제공되는 재료 중에서 일정 부분을 자기 자신을 위해 사용하거나 재판매를 목적으로 몰래 빼놓는 방법으로 수입을 보충하는 식의 수단을 재빠르게 몸에 익혀갔다. 이러한 횡령 행위는 통상적으로 완성품의 질을 떨어뜨리는 형태로 행해졌다. 즉, 실(糸)은 중량을 속일 수 있도록 만들어졌고, 천(布)은 투명도가 기준을 넘어 설 정도로 얄팍하게 만들어졌다". 이러한 원료의 횡령 사기를 란데스는 '선대제 고유의 마찰'이라고 불렀고, 윌리엄슨은 이러한 것들을 모두 거래비용으로 파악했다.

이러한 일들이 발생하는 이유는 선대제에서 생산과정과 원료의 관리가 모두 생산자에게 맡겨져 있는 바람에 다른 장소에 있는 선대주가 그것을 효과적으로 감시할 수 없기 때문이다. 18세기가 되면서 모직물의 수요가 증가하고 그에 따라 노동력이 부족해지면서 이러한 문제점들은 더욱 불거졌다. 그 결과 선대주와 치안판사에게는 (생산자에 의한 횡령이 의심되는) 원료를 조사하고 차압할 수 있는 권한이 주어졌다. 원료에 관한 모든 입증책임은 원료를 보관하고 있던 사람이 지도록 되었고 원료의 횡령에 대한 형사처벌도 강화되었다. 그러나 그럼에도 원료를 횡령하는 범죄는 사라지지 않았다. 란데스의 저서에는 횡령한 양모나 털실을 거래하는 조직적인 암시장이 존재할 정도라고 기술되어 있다. 동일한 내용은 애슈턴의 『산업혁명』에서도 확인할 수 있다.

2) 선대제의 적응

란데스가 그의 저서를 통해 밝히고 있듯이, 영국의 모직물 공업에서

표 7-3 덴마크 공업에서 가내 노동자의 비율

(단위: %)

	1897년	1900년	1914년
전체 공업	8.7	8.6	6.9
남성주문복	37	47	50
여성주문복	43	38	44
양말	66	59	52
시가(담배)	10	12	13
장갑	69	66	58
구두	15	16	12
전기도금	43	40	27
리본	11	2	55

주: 각 산업의 노동자 총수에 대한 비율.
자료: Agnete Raaschou-Nielsen, "The Organizational History of the Firm: Putting-out System in Denmark around 1900," *Scandinavian Economic History Review*, 41(1), 1993.

선대제는 18세기에 전부 자취를 감추었다. 그러나 일반적인 선대제는 그보다 오랫동안 지속되어왔다. 예를 들면, 아그네트 랏쇼 닐센(Raaschou Neilsen, A.)은 덴마크의 공업에서 선대제가 20세기 초까지도 기능하고 있었다는 것을 밝혀냈다.[8] 랏쇼 닐센은 거래비용의 개념을 받아들이기는 했지만 선대제에서 고유의 거래비용이 존재했다는 시각에는 비판적이었다. 그 대신에 그는 선대제의 틀 안에서도 다양한 방식으로 적응하는 것을 통해 거래비용의 절약이 가능했다는 점을 강조했다.

가장 먼저 지적한 것은 공업 노동자들 중에서 가내 노동자들의 비율이 19세기 말에서 20세기 초에 걸쳐 비교적 안정되어 있었다는 공업 통계조사의 데이터였다(표 7-3). 가내 노동자의 비율은 공업 전체에서 1897년에 8.7%, 1906년에 8.6%에 달했다. 결코 높은 비율이라고는 할 수 없지만,

그렇다고 해서 감소하고 있던 것도 아니었다. 또한 산업에 따라 이러한 비율은 크게 달랐으며, 의류 공업에서는 약 1 / 3의 노동자가 자신의 집에서 일을 하고 있었다. 둘째, 가내 노동자 수의 변동이 도시와 농촌에서 달랐다는 점이다. 농촌에서는 18세기 중반부터 19세기 초에 걸쳐서 선대제가 보급되었지만, 19세기 중반 이후부터는 쇠퇴하기 시작해 20세기 초에는 거의 자취를 감추었다. 그러나 도시, 특히 수도 코펜하겐에서는 여전히 선대제가 존속하고 있었다. 셋째, 도시의 선대제를 단지 후진적인 생산조직이 잔존해 있는 것으로 보는 시각은 적당하지 않다는 점이다. 선대제는 담배나 양말 제조와 같은 새로운 성장산업에서도 널리 관찰되었기 때문이다.

왜 도시에서는 20세기까지도 선대제가 기능하고 있었던 것일까? 그 전제가 되는 것은 도시에 값싼 노동력이 다수 존재했다는 사실이다. 첫 번째 그룹은 여성노동자, 즉 구체적으로는 남성노동자의 아내와 독신 여성들이었다. 가사를 병행해야 했던 그녀들은 집에서 일하기를 선호했기 때문에 낮은 임금이라도 충분히 받아들일 용의가 있었다. 두 번째 그룹은 쇠퇴하는 직종에 종사하던 가난한 남성노동자들이었다. 그러나 임금이 아무리 낮아도 거래비용이 높으면 결국 비용의 합계는 높아지고 만다. 코펜하겐 주변의 공업에서는 어떻게 해서 선대제에 동반되는 거래비용을 절약할 수 있었을까? 랏쇼 닐센에 따르면 **공정의 표준화**가 원료의 관리를 용이하게 해서 거래비용을 절약할 수 있었다고 한다. 의류 공업이나 제혁 공업의 경우, 원료는 미리 선대주로부터 절단된 상태로 공급되었고, 가내 노동자는 절단된 원료를 넘겨받아 봉제하는 공정만을 담당하도록 했다. 이러한 시스템은 가내 노동자가 원료를 횡령하는 것을 어렵게 만들었다.

이렇듯 덴마크에서는 선대제라는 틀을 그대로 유지한 채 거래비용의 절감을 통해 생산조직의 효율성을 높였다. 그 결과 선대제는 20세기 초까지도 존속할 수 있었다.

이 해 와 사 고 를 돕 기 위 한 문 제

❶ 프레더릭 더글러스, *Narratives of the Life of the Frederick Douglass*(New York, New American Library, 1968)는 미국 남부에서 노예로 태어난 사람의 실제 증언이다. 이것을 읽어보고 당시 노예의 눈에 비친 노예제의 성격을 정리해보자.

❷ 야스바 야스키치, "The Profitability and Viability of Plantation Slavery in the United States"(The Economic Studies Quarterly, 12(3): 60~67, 1961)를 읽어보고, 노예제의 수익성에 관한 분석이 실제로 어떻게 이루어지고 있는지 정리해보자.

❸ 벵트 홀름스트룀·폴 밀그롬, "Multitask Principal-Agent Analyses: Incentive Contracts, Asset Ownership, and Job Design"(*Journal of Law, Economics, and Organization*, 7: 24~52, 1991)을 참고해서 복수의 작업에서는 어떠한 인센티브의 설계가 필요한지 생각해보자.

❹ 일본의 돈야제 생산조직과 유럽의 선대제 생산조직 간의 공통점과 차이점을 정리해보자.

❺ 호리 가즈오, 『한국 근대의 공업화』(주익종 옮김, 전통과현대, 2003)를 읽어보고, 한국에서의 공장제의 정착에 관한 문제를 생각해보자.

일반적으로 금융 시스템의 기능에는 재화와 서비스의 교환의 효율성을 높이는 기능과 사람들 간에 자금의 흐름을 중개하는 기능 두 가지가 있다. 실제로 이러한 기능이 제대로 작동한다면 금융 시스템이 발달한 국가일수록 경제활동이 활발하며 경제성장률도 높을 것이다. 이러한 관점에서 주로 크로스컨트리 데이터를 이용한 실증연구가 많이 행해졌고, 연구결과는 금융 시스템이 발달한 국가일수록 경제성장률이 높다는 관계가 성립한다는 것을 확인해주었다.

금융 시스템으로 자금의 흐름을 적절히 중개하기 위해서 자금을 공급하는 측과 수요가 있는 측 사이에 존재하는 정보의 비대칭성 문제, 즉 역선택(adverse selection)의 문제와 모럴 해저드의 문제가 해결될 필요가 있다. 이번 장에서는 은행과 주식시장에서 역사적으로 금융거래를 거버넌스(통치)해온 장치들을 살펴본다.

은행에서는 은행관계자의 기업에 집중적으로 융자가 이루어지는 현상, 즉 관계융자가 여러 시대에 걸쳐 다양한 지역에서 관찰된다. 관계융자는 정보의 비대칭성을 극복한다는 점에서 유용한 면도 있지만, 한편으로 은행의 지배적인 주주, 예금자, 소액주주 간의 이해가 대립되는 원인이 되기도 한다. 전자의 예로는 19세기 뉴잉글랜드의 은행을, 후자의 예로는 1920년대 일본의 은행의 경우를 들 수 있다.

주식시장에서는 투자자, 기업의 경영자, 지배적 주주 간에 발생하는 정보의 비대칭성 문제가 해결될 필요가 있다. 미국에서는 19세기 말 이후에 주주들의 수와 다양성이 증대되었기 때문에 정보의 전달속도가 저하되고, 주식시장의 효율성이 떨어졌다. 대공황기에 도입된 기업의 정보 공시에 관한 공적규제는 이러한 문제를 완화시키는 기능을 했다. 공적규제와 나란히 미국의 주식시장에서 투자자와 기업 간에 존재하는 정보의 비대칭성을 완화시키는 장치로서 대규모 투자은행의 기능을 지적할 수 있다. 브래드포드 디롱(DeLong, J. B.)은, 투자은행 J. P. 모건의 이사회의 참가가 기업 가치를 향상시킨다는 것을 증명해 보였다.

제8장

금융거래와
제도

키워드

정보의 비대칭성, 관계융자, 기관은행, 효율적 시장 가설,
투자은행, 기업통치(코퍼레이트 거버넌스)

1. 금융 시스템의 역사

1) 초기의 금융 시스템

금융 시스템은 크게 사람들 간의 **교환을 매개하는** 수단을 제공하는 기능과 사람들 간의 **자금의 흐름을 중개하는** 두 가지 기능으로 나뉜다. 이러한 기능을 담당하는 장치들은 고대부터 서서히 발달해서 오늘날에까지 이르렀다. 프랭클린 앨런(Allen, F.)과 더글러스 게일(Gale, D.)은 금융 시스템의 발전과정을 다음과 같은 세 가지 단계로 정리해서 기술하고 있다.[1]

제1단계는 13세기 무렵까지로 이 시기에 금융거래를 위한 수단은 귀금속과 귀금속 화폐로 한정되어 있었다. 귀금속이나 귀금속 화폐는 지폐나 예금통화에 비해서 편리함이 많이 떨어지는 편이었지만, 화폐가 없었던 시대에 비한다면 교환의 효율성이 큰 폭으로 향상된 것이었다. 물물교환의 경우, 누군가는 내가 원하는 재화를 가지고 있어야 한다. 게다가 내가 원하는 재화를 가지고 있는 그 누군가는 반대로 내가 가지고 있는 재화를 원하고 있어야 한다. 결국 이러한 누군가를 찾아내지 않으면 교환은 성립되지 않는다. 물물교환이 이러한 '욕망의 상호적 일치'를 필요로 하는 것에 비해, 화폐가 존재할 경우에는 먼저 내가 가지고 있는 재화를 화폐로 교환하고 그 화폐로 내가 원하는 물건을 살 수 있다. 제5장에서 언급했듯이 기원전 7세기 무렵부터 지중해 연안에서는 금속화폐가 사용되고 있었다.

제1단계의 금융기관으로는 **환전상, 대금업자, 은행**이 있다. 지중해 세계에서는 금속류를 포함해서 다양한 종류의 화폐가 사용되었기 때문에 이것들을 평가하고 교환하는 환전상은 큰 역할을 담당하였다. 대금업자는 자기 자금을 융자하는 사람들로서 **사원, 지주, 상인** 등 다양한 부류가 그러한 역할을 하고 있었다. 로마제국시대에는 예금을 맡아서 대출하는 금융기관과 은행이 출현했다. 그러나 이러한 금융기관에서 융자의 목적은 **소비, 농업, 해상무역** 등에 한정된 것이었다.

금융 시스템 발전의 제2단계는 14세기 이후에 일어난다. 이것은 제4장에서도 언급한 '상업의 부활'의 결과로 볼 수 있다. 이 단계를 특징지을 수 있는 한 가지 현상으로는 **환어음*** 사용을 들 수 있다. 어음은 장래에 화폐를 지불할 것을 약속한 문서이며, 상인들은 거래대금으로 화폐 대신 어음결제를 선택할 수도 있었다. 이러한 환어음을 사용하면서 은행의 기능이 확장되었다. 은행은 (거래 대금으로) 환어음을 받은 상인으로부터 그 어음을 할인해주고, 지불 기일에는 어음을 발행한 상인으로부터 화폐를 거두어들이는 기능을 했다. 어음의 할인에서부터 화폐를 징수하기까지의 기간 동안에 은행은 어음을 받은 상인을 대신해서 어음을 발행한 상인에게 **신용**을 제공하게 된 것이다. 은행은 특히 지중해 무역권의 중심이었던 북부 이탈리아의 모든 도시에서 발달했다. 또한 정부나 일부 회사에서는 증권을 발행했다. 그러나 아직까지 조직적인 증권시장은 존재하지 않았고, 증권은 비공식적으로 거래되는 수준에 그치고 있었다.

18세기 초까지 금융 시스템은 제3단계에 도달했다. 새로운 단계로 구분

---

* 어음에는 약속어음과 환어음이 있다. 약속어음은 발행인이 소지인에 대하여 일정 기일에 일정금액을 지급할 것을 약속하는 어음이며, 환어음은 발행인 이외의 제3자(은행)가 지급의무를 지는 어음이다(역자 주).

될 수 있는 첫 번째 특징으로는 조직적인 **금융시장**이 형성되었다는 점이다. 1608년에는 네덜란드의 암스테르담 거래소의 건물이 독립하게 되었다. 이 암스테르담 거래소에서는 상품과 함께 주식을 포함한 증권도 거래되었다. 당시 거래된 주식은 동인도 회사와 서인도 회사의 주식이었다. 두 번째 특징은 금융 시스템에 대한 **정부**의 관여가 늘어나게 된 점이다. 이러한 혁신 역시 네덜란드에서 가장 먼저 시작되었다. 1609년에는 최초의 공적(公的) 은행인 암스테르담 은행이 설립되었다. 암스테르담 은행에서는, 일정 금액 이상의 환어음을 결제할 때 각각의 상인들이 은행에 보관하고 있는 거래장부를 통해서만 거래를 하도록 의무화했다. 암스테르담 은행은 오늘날의 어음교환소와 동일한 기능을 담당하였으며 결제의 효율성이라는 측면에서도 기여한 바가 크다고 할 수 있다. 이어서 1668년에는 스웨덴 정부가 스웨덴 은행을 매수하면서 세계에서 최초로 **중앙은행**이 탄생했다.

2) '시장형 시스템'과 '은행형 시스템'의 분화

앨런과 게일은, 이렇게 해서 등장하게 된 금융 시스템이 18세기 초부터 발생하기 시작한 **버블**을 기점으로 두 가지 형태로 분기(分岐)해가는 발전 경로를 밟아왔다고 보았다. 그들이 두 가지 형태라고 부른 것은 각각 '시장형 시스템'과 '은행형 시스템'이다. **시장형 시스템**은 기업의 금융이 주로 증권시장을 통해 이루어지고, 이에 대응해서 주요한 기업의 통치 메커니즘이 증권시장에서 적대적 매수와 같은 형태로 이루어지는 금융 시스템을 가리킨다. 한편, **은행형 시스템**은 기업의 금융이 주로 은행을 통해서 이루어지고, 이에 대응해서 주요한 기업의 통치 메커니즘이 은행의 감시와 개입에 의해 이루어지는 시스템을 가리킨다. 앨런과 게일은 미국과 영국의 경우를 시장형 시스템으로, 독일과 프랑스와 일본의 경우를 은행형 시스템으로 각각 분류했다. 두 가지 형태의 금융 시스템의 형성과정에 대해 그들이 설명하는 것을 영국와 프랑스를 기준으로 살펴보면 다음과 같다.

영국에서는 1711년에 남대서양에서의 무역을 목적으로 남해 회사(South Sea Company)라는 기업이 설립되었다. 그런데 1720년에 이 회사의 주식은 심각한 **투기**의 대상이 되었고, 주가는 7배 이상으로 상승했다. 이것이 '버블'이라는 단어의 어원이 된 '**남해 버블**(South Sea Bubble)'이다. 버블의 붕괴를 막기 위해 주식회사의 설립을 의회의 허가제로 하는 버블 조례가 그해에 제정되었다. 버블 조례는 1825년까지 존속했고 그 사이에 주식회사의 설립은 강력한 제재를 받게 되었다. 1720년부터 1825년까지의 조례 존속기간에서도 알 수 있듯이 영국의 산업혁명은 기본적으로 주식회사제도에 의존하지 않고 발생한 것이다. 아마도 이것은 제6장에서 살펴보았듯이 산업혁명기의 경제성장이 완만했다는 사실과 전혀 무관하지는 않을 것이다.

주식회사의 설립이 억제되었기 때문에, 런던의 증권시장에서 거래되는 주식은 잉글랜드 은행, 남해 회사, 동인도 회사 등 지극히 제한된 회사의 주식뿐이었다. 그러나 한편으로 18세기에 런던의 증권시장에서는 **국채** 거래가 현저하게 발달하고 있었다. 이 시기에 영국은 많은 전쟁을 치르고 있었고, 전쟁비용을 조달하기 위해 거액의 국채를 발행했다. 런던의 증권시장은 국채 거래를 통해 **증권의 발행·유통 기능**을 확장시켜갔던 것이다.

이러한 발전에 힘입어 1802년에는 런던 주식거래소가 설립되었다. 주식거래소라고는 해도 초기에는 국채 거래가 중심이었다. 그러나 1825년에 버블 조례가 폐지되면서 주식회사가 늘어남에 따라 주식 거래도 차츰 늘어났다. 즉, 영국에서는 국채의 대량 발행이 계기가 되어 우선 증권시장이 정비되었고, 이어서 정비된 시장을 이용해 주식거래가 확대되어나갔다고 할 수 있다.

남해 버블과 같은 해에 프랑스에서도 버블이 발생했다. 이른바 **미시시피 버블**이었다. 1716년에 스코틀랜드 출신의 존 로우라는 인물이 프랑스 정부의 허가를 얻어 은행을 설립했고, 그 은행은 두 번의 합병을 거쳐 1718년에 미시시피라는 회사로 재편되었다. 미시시피 회사의 주식은 곧 투기의 대상이 되었지만 이내 버블이 붕괴되고 말았다. 버블이 붕괴한 이후 주식시장을 규제하기 위해서 공적인 거래소가 설립되었으나 프랑스 혁명 후에 거래소는 즉각 폐쇄되고 주식을 공개한 주식회사들은 압박을 받았다. 그 후 거래소는 다시 재개되었지만, 19세기부터 20세기까지 프랑스의 증권시장은 규모도 작고 증권시장의 기능도 발달하지 못했다. 한편 19세기의 중반 무렵에 프랑스의 은행에서는 혁신이 일어났다. 프랑스 제2제정(帝政)하에서 **크레디 모빌리에**라고 불리던 은행이 설립되어, **장기에 걸친 산업금융**을 실시한 것이다. 이러한 크레디 모빌리에는 거센크론이 강조했듯이 독일에서 은행에 의한 **산업금융**의 원형이 되기도 했다(제3장 참조).

2. 금융 시스템과 경제발전

1) 은행과 경제발전

이번 장의 맨 앞에서 언급한 것과 같이 금융 시스템에는 재화와 서비스에서 교환의 효율성을 높이는 기능과 사람들 간에 자금의 흐름을 중개하는 기능이 있다. 그렇다면 여타 다른 사정이 동일하다고 가정할 때, 금융 시스템이 발달한 국가나 지역일수록 경제활동이 활발하다고 생각할 수 있다. 좀 더 구체적으로 말하면, 금융 시스템의 발달은 투자 프로젝트, 산업, 기업 등을 더 정확하게 선별해낼 수 있고, 각각에 적절히 자금을 배분할 수 있게 한다. 즉, 금융 시스템의 발달은 경제의 규모를 확대시켜 장기적인 경제성장을 유도한다고 추론해볼 수 있다. 그렇다면 이러한 예상은 데이터를 통해서도 증명될 수 있을까? 이러한 문제를 고찰한 고전적 문헌으로는 레이먼드 골드스미스(Goldsmith, R. W.)의 연구가 있다.

골드스미스가 1969년에 발간한 그의 저서에는 36개국에 걸쳐서 1860년부터 1963년까지의 금융기관의 보유자산, GNP, 1인당 GNP 등의 데이터가 나와 있다. 그는 이러한 데이터를 분석해서 '금융기관의 보유자산/GNP'와 '1인당 GNP'가 정(+)의 상관관계에 있다는 사실을 밝혀냈다. 또한 이들 두 변수의 성장률끼리도 정(+)의 **상관관계**가 있다는 것이 확인되었다. '금융기관의 보유자산/GNP'는 금융 시스템이 발달한 정도를 보여주기 때문에, 이는 곧 금융 시스템이 발달한 정도가 소득수준 및 경제성장률과 정(+)의 상관관계에 있다고 말할 수 있다.[2]

로버트 킹(King, R. G)과 로스 리바인(Levine, R.)은, 1980년대 이후에 등장한 경제성장이론과 경제성장에 관한 실증연구의 발전을 기반으로 골드스미스가 고찰한 문제를 좀 더 체계적인 데이터를 이용해서 분석하는 데 성공했다.[3] 앞서 제2장에서는 경제성장에서 종교와 제도의 기능을 알아보기 위해 경제성장률에 관한 크로스컨트리 회귀라는 분석틀을 사용했다. 킹과 리바인은 동일한 분석틀을 사용하면서도 종교변수와 제도변수 대신에 **금융 시스템의 발달 정도**를 보여주는 변수를 도입하는 방법을 사용했다. 구체적으로는 다음과 같은 회귀분석을 실시하였다. 우선 전 세계에서 63개국을 골라낸다. 그리고 1960년의 시점에서 금융 시스템이 발달한 정도를 개인이 보유하고 있는 '유동적인 금융 자산액 / GDP'로 측정한다. 경제성장률을 결정하는 다른 설명변수로는 1960년의 1인당 실질 GDP, 중등교육의 취학률, 정치적인 성숙도, 안정도를 나타내는 변수 등을 이용했다. 이러한 설명변수와 1960년부터 1989년까지의 1인당 실질 GDP의 성장률 간의 회귀분석의 결과가 **표 8-1**에 나와 있다.

표 8-1을 통해서 중등교육의 취학률이 경제성장률에 유의하게 정(+)의 영향을 미치고 있다는 것과 초기 시점의 1인당 GDP는 유의하게 부(−)의 영향을 미치고 있다는 표준적인 결과를 확인할 수 있다. 여기에서 주목하는 금융 시스템의 변수, 즉 '유동적인 금융자산 / GDP'의 계수는 통계적으로 유의하게 정으로 나타났다. 즉, 금융 시스템이 발달해 있는 나라일수록 다른 표준적인 요인을 통제했을 때, 경제성장률은 높게 나타난다는 결과를 보여주는 것이다. 여기에서는 금융 시스템의 변수로서 1960년의 데이터를 이용해서 1960년부터 1989년에 걸친 경제성장률

표 8-1 은행 시스템과 경제성장

피설명변수: 1인당 실질 GDP의 성장률(1960~1989년)		
상수항	0.04	(0.007)
1인당 실질 GDP의 로그값(1960년)	-0.013	(0.003)
중등교육 취학률(1960년)	0.011	(0.002)
자유화 지표	0.001	(0.001)
혁명건수	-0.006	(0.008)
암살건수	-0.001	(0.003)
유동적 금융자산/GDP(1960년)	0.028	(0.007)
R^2	0.55	
관측수	63	

주: ( ) 안의 수치는 표준오차.
자료: Robert King and Ross Levine, "Finance, Entrepreneurship, and Growth: Theory and Evidence," *Journal of Monetary Economics*, 32, 1993.

과의 관계를 분석하고 있다. 따라서 경제성장률이 높은 나라에서 금융 시스템이 발달했다는 역(逆)의 인과관계는 일단 배제된다. 이렇게 해서 킹과 리바인은 **금융 시스템의 발달이 경제성장률의 결정요인**이라는 결론을 도출해냈다.

2) 주식시장과 경제발전

킹과 리바인의 분석은 금융 시스템, 그중에서도 은행에 의한 금융 중개에 초점을 맞춘 것이다. 이것을 토대로 리바인은 사라 제르보스(Zervos, S.)와 함께, 은행에 의한 금융 중개의 발달과 주식시장의 발달을 구분한 뒤에 각각을 나타내는 변수를 동시에 집어넣고 크로스컨트리 회귀분석을

실시했다.[4]

은행에 의한 금융 중개의 발달 정도에 관한 변수로는 '은행의 민간대출/GDP'를 이용했다. 한편, 주식시장의 발달 정도에 대해서는 규모, 유동성, 국제적 통합도, 변동성에 관한 네 가지 지수를 작성했다. 여기에서는 주식시장의 규모와 유동성에 관한 결과만을 소개한다.

규모는 '상장주식의 시가총액/GDP'로 측정되었다. 유동성은 '상장주식의 매매금액/상장주식의 시가총액' 내지 '상장주식의 매매금액/GDP'로 측정되었다. 이러한 금융 시스템의 발달 정도에 관한 변수는 초기 시점인 1976년의 데이터를 이용했다. 이 밖에 1976년의 1인당 실질 GDP, 중등교육의 취학률, 정부경상지출/GDP, 인플레이션율, 암시장에서의 외환 프리미엄 그리고 1976년부터 1993년까지의 혁명과 쿠데타의 발생 건수 등을 설명변수로 첨가했다.

피설명변수로는 1976년부터 1993년에 걸친 1인당 실질 GDP의 성장률, 1인당 실질자본스톡의 성장률, 총요소생산성의 성장률을 이용했다. 관측수는 데이터의 이용가능성에 따라 달라지지만 30개국에서 40개국의 자료가 사용되었다. 주요한 결과는 표 8-2에 잘 정리되어 있다. 표 8-2(a), 표 8-2(b) 모두 금융 시스템의 발달 정도 이외의 모든 설명변수를 포함한 회귀분석의 결과이지만 편의상 다른 설명변수의 회귀결과는 생략했다.

표 8-2(a)는 '상장주식의 판매고/GDP'로 측정한 주식시장의 유동성을 설명변수로 이용한 경우이다. 경제성장률, 자본스톡의 증가율, 총요소생산성의 증가율 각각에 대해서 은행에 의한 금융 중개의 계수는 통계적으로 유의하게 정(+)으로 나타났고, 동시에 주식시장의 유동성 계수도

표 8-2 금융 시스템과 경제성장

a. 은행신용과 주식매매금액

	피설명변수		
	1인당 실질GDP의 성 장률(1976~1993년)	1인당 실질자본스톡의 성장률(1976~1993년)	총요소생산성의 성장률 (1976~1993년)
은행신용/GDP (1976년)	0.0146 (0.0056)	0.0148 (0.0061)	0.0125 (0.0047)
주식매매금액/ GDP(1976년)	0.0954 (0.0315)	0.0927 (0.0324)	0.0736 (0.0220)
R^2	0.4655	0.5224	0.3726
관측수	43	42	42

b. 은행신용과 상장주식의 시가총액

	피설명변수		
	1인당 실질GDP의 성 장률(1976~1993년)	1인당 실질자본스톡의 성장률(1976~1993년)	총요소생산성의 성장률 (1976~1993년)
은행신용/GDP (1976년)	0.0089 (0.0061)	0.009 (0.0078)	0.0094 (0.0050)
주식시가총액/ GDP(1976년)	0.023 (0.0065)	0.0207 (0.0081)	0.0135 (0.0050)
R^2	0.4577	0.3754	0.3423
관측수	45	44	44

주: 본문 중의 다른 변수는 생략했다. ( ) 안의 수치는 표준오차.
자료: Ross Levine and Sara Zervos, "Stock Markets, Banks and Economic Growth," American *Economic Review*, 88(3), 1998.

통계적으로 유의하게 정(+)으로 확인되었다.

표 8-2(b)는 주식시장의 발달 정도에 관한 지표로서 그 규모(상장주식의 시가총액/GDP)를 이용한 경우이다. 주식시장의 규모에 대한 계수도 통계적으로 유의하게 정(+)으로 나타났다. 단, 리바인과 제르보스는 이러한

결과가 몇몇 국가의 데이터로부터 크게 영향을 받을 수 있는 가능성이 있기 때문에 통계적으로 로버스트하지는 않다고 밝히고 있다.

이와 같은 논의로부터 주식시장의 발달이 은행의 발달과 함께 경제성장, 자본축적, 기술진보를 촉진하는 효과가 있음을 알 수 있다. 그리고 주식시장의 발달에는 그 규모만이 아니라 유동성이 중요하다는 두 가지 결론을 이끌어낼 수 있다.

3. '관계융자'의 빛과 그림자

1) 금융거래의 거버넌스

앞서 금융 시스템의 발달은 경제성장을 촉진시키는 관계가 있다는 연구를 소개했다. 그리고 이러한 관계에 대한 예상은 금융 시스템의 발달이 투자 프로젝트, 산업, 기업 등을 더 정확하게 선별해내고 자금을 배분한다는 추론에서 도출되었다. 그런데 이러한 추론이 타당하기 위해서는 은행이나 주식시장이 그러한 선별을 적절히 행할 수 있는 능력과 인센티브를 구비하고 있을 필요가 있다. 다음에서는 은행과 주식시장 각각에 대해 이러한 논점에 관계되는 주제들을 살펴보자.

금융 시스템을 유효하게 작동시키기 위해 필요한 조건 중 하나는 자금의 공급자와 수요자 사이에 존재하는 정보의 비대칭성 문제를 해결하는 것이다. 첫째, 역선택의 문제이다. 금융거래 계약을 맺기 전에 자금 공급자가 자금 수요자의 질에 대한 정보를 가지고 있지 않을 경우, 자금을 공급할 때의 조건으로서 평균적인 질의 자금 수요자를 상정할 수밖에 없다. 그러나 그러한 조건은 양질의 자금 수요자에게는 유리한 것이 아니기 때문에 양질의 자금 수요자들은 시장에서 나가버리게 되고 최종적으로는 시장 자체가 없어지게 된다. 이것이 바로 역선택(adverse selection)이라는 문제이다. 둘째, 모럴 해저드의 문제이다. 금융거래 계약을 맺고 난 이후에 자금 공급자가 자금 수요자의 행동을 관찰할 수 없는 경우, 자금 수요자는 자금 공급자에게 불리한 행동을 할 가능성이 있다. 이러한 문제들은 일반적인 모든 계약에 해당되는 것이기도 하지만 금융거래 계약에서도 적절한 조치가 취해질 필요가 있는 문제인 것이다.

이러한 문제에 대처하는 것 역시 은행이라는 조직체계의 목적 중 하나이다. 자금에 여유가 있는 개인이 자금을 빌리려는 사람의 질을 조사하거나 융자 후에 차입자의 행동을 감시하는 것은 거의 불가능에 가깝다. 그래서 개인은 은행에 예금이라는 형태로 자금을 맡기고 은행은 전문적인 스태프를 고용해서 집중적으로 차입자를 선별하고 감시한다. 그러나 1990년대 일본의 사례에서 입증된 것처럼 은행 역시 차입자의 선별과 감시를 효과적으로 하기란 말처럼 쉽지 않다. 은행과 차입자 차이에 존재하는 정보의 비대칭성을 완화하기 위한 방법으로 은행과 특별한 관계에 있는 차입자만을 선택해서 융자를 하는 방법이 있다. 이러한 방법은 역사상으로도 자주 관찰된다. 다음에서는 은행관계자에 대한 융자가 효과적으로 기능한 사례와 그것이 은행위기의 원인이 된 사례에 대해서 소개한다.

2) 19세기 뉴잉글랜드의 금융 시스템

나오미 라모루는 19세기의 미국 뉴잉글랜드*에서의 은행업무가 **혈연적 네트워크**를 기반으로 했다는 점을 강조했다.[5] 그러나 처음부터 뉴잉글랜드의 은행들이 혈연적 네트워크를 바탕으로 했던 것은 아니다. 하나의 예로, 라모루는 1784년에 은행으로서는 최초로 매사추세츠 은행이 인가를 얻었을 때, 그 설립을 위해 지역 공동체의 융자나 저축이 큰 역할을 했다는 사실을 들고 있다. 매사추세츠 은행의 주주들은 여러 개의 그룹으로 나뉘어 상호 간의 감시로 힘의 균형을 이루어서 특정 그룹에게만 은행의 자원이 집중되는 것을 방지하고 있었다고 한다.

이러한 상황은 19세기 초까지 은행 수가 늘어가는 과정에서 변질되어 갔다. 먼저 은행의 증가 과정을 살펴보면, 1784년에 단 한 개에 지나지 않았던 뉴잉글랜드 지역의 은행이 1800년에는 17개, 1810년에는 52개까지 늘어났다. 이와 함께 공공(公共)을 목적으로 하는 은행의 중요도가 많이 떨어지고, 은행의 내부자에게 집중적으로 융자가 이루어지는 사례가 늘어났다.

라모루가 예를 든 몇 가지를 소개하면 다음과 같다. 1830년대에 나핸트 은행에서는 은행장인 헨리 브리드에 대한 대출이 은행 전체 대출총액의 1/3에서 1/2까지 차지하고 있었다. 1840년대의 포쳇 은행에서는 할인어음의 47%가 은행장인 제임스 로즈와 그와 관련된 회사 앞으로 집중되어

* 코네티컷(Connecticut), 마이애미(Miami), 매사추세츠(Massachusetts), 뉴햄프셔(New Hampshire), 로드아일랜드(Rhode Island), 버몬트(Vermont)의 6개 주를 뜻한다(역자 주).

있었다. 또한 웨그 필드 은행에서는 할인어음의 54%가 중역인 새뮤얼 로던과 로던의 친척인 아이작 해저드와 관련되어 있었다. 이러한 특징이 일반적이었다는 것은, 1836년에 로드아일랜드의 은행감독 당국이 "은행은 단지 은행 이사회의 임원들에게 상당한 정도의 자금을 공급하는 기관이었다"라고 기술하고 있는 사실에서도 확인할 수 있다. 이 책에서 '기관'이라고 번역한 단어는 사실 라모루의 논문에서 "engines"라고 표현되고 있다. 나중에 다시 살펴보겠지만 제2차 세계대전 이전의 일본에서도 라모루가 예로 든 은행과 동일한 기능을 담당하던 은행들이 존재했다. 그리고 그러한 은행들이 '기관은행'으로 불렸다는 것을 생각해보면 우연의 일치 치고는 매우 재미있는 사실이 아닐 수 없다.

이처럼 왜 은행융자가 내부자에게 집중되었던 것일까? 라모루는 그 역사적 이유로 뉴잉글랜드에서 18세기부터 혈연관계에 바탕을 둔 금융적 결합관계가 형성되고 있었다는 점을 들고 있다. 18세기 말에 은행이라는 새로운 기구를 이용할 수 있게 되었을 무렵, 이러한 혈연적 금융집단은 자신들의 더 많은 이익추구를 위해 은행을 이용했다는 것이다.

18세기에 **혈연적 금융집단**은 리스크를 분산시키면서 동시에 사업을 위한 자금을 조달하는 기능을 했다. 예컨대 어떠한 상인이 하나의 사업을 구상했을 경우, 상인은 자기 자금으로 출자(出資)하는 것이 아니라 혈연집단을 통해 자금을 구한다. 그리고 혈연집단 내에서는 이러한 상호 간의 출자를 통해서 리스크를 분산시킬 수 있었다. 그러나 이러한 방법은 몇 가지 내재된 문제점을 안고 있었다. 즉, 출자할 수 있는 자금의 양은 혈연집단 구성원들의 자금 축적의 한계를 벗어날 수 없었고, 이러한 관계의 존속기간은 구성원들 개개인의 수명 때문에 제약을 받았다. 그런데 은행을 이용함으로써 이러한 문제들은 간단히 해결될 수 있었다.

은행설립은 혈연적 네트워크를 법인화함으로써 개인의 수명과 집단의 존속기간을 분리시켰다. 그리고 한편으로 은행의 설립으로 혈연적 공동체가 아닌 다른 곳으로부터도 자본금을 조달할 수도 있게 되었다. 이 시기에 뉴잉글랜드 은행들의 대차대조표를 살펴보면 부채와 자본금 중에서 자본금이 차지하는 비율이 상당히 높았다는 사실을 알 수 있다. 예를 들면, 1835년 매사추세츠 은행은 자본금의 비율이 54%에 달하는 반면 예금은 21%에 지나지 않았다.

자본금을 외부에서 조달할 수 있게 되면서 주식소유에서 혈연적 집단의 비율은 점차 낮아졌다. 그 대신에 **기관투자자**들, 특히 **보험회사**들의 비율은 높아졌다. 그러나 은행의 이사회에서 혈연적 집단은 여전히 지배적인 위치를 유지하고 있었기 때문에 은행업무도 계속해서 관리할 수 있었다. 그 이유 중 하나는 다른 주주들이 은행업무에 크게 관심을 두지 않아서 주주총회의 출석률이 저조했기 때문이었다. 또 한 가지는 혈연적 집단이 기관투자자(보험회사)의 이사회에서도 마찬가지로 지배적인 위치를 차지하기 때문이었다. 그 결과, 외부 주주들의 주식소유 비율이 증가했는데도 은행융자가 혈연적 집단으로 집중되는 현상은 계속되었다. 예를 들면, 앞서 설명한 포쳇 은행의 경우 증자한 신주를 외부에 공개하자 1840년 초까지 로즈 형제의 주식 소유 비율이 10~2%까지 떨어졌다. 그러나 1842년 12월 시점에서 로즈 형제의 은행 대출은 포쳇 은행의 전체 대출 중에서 여전히 47%를 차지하고 있었다.

3) 관계융자의 건전성의 조건

이러한 대출 구성이라고 한다면, 당연히 은행의 건전성에 의심이 가지 않을 수 없다. 소수의 융자처에 대출을 집중한다면 그 융자처의 재정적 파탄이 은행의 대차대조표상에 줄 타격은 불 보듯 뻔하기 때문이다. 이런 의문에 대해서 라모루는 다음과 같이 답한다. 우선 혈연적 집단의 사업부문이 다각화되어 있었다. 그리고 은행의 자기자본비율이 높았기 때문에 예금자에게 손실을 입힐 수 있는 리스크가 낮았다.

확실히 이러한 조건들은 은행의 도산이나 그에 따른 전체 금융 시스템의 불안정성을 감소시킬 수는 있다. 그러나 지배적인 혈연적 집단과 외부 주주들 간의 이해대립의 문제는 여전히 해결되지 않은 채 남아 있다. 외부 주주들에게 리스크의 일부를 감당하게 함으로써 혈연적 집단의 이익이 추구되고 있었기 때문이다. 이것이 바로 은행의 **기업통치**에 관한 문제이다. 라모루도 이러한 점을 의식해서 19세기 전반에 주주들의 이익을 보호할 목적으로 금융감독 당국이 임원들의 영향력을 제한하거나 겸임을 금지하도록 하는 규제를 실시하게 된 것을 지적하고 있다. 그러나 동시에 이러한 규제들이 별로 실효적이지 못했다는 점과 그럼에도 은행에 대한 출자가 활발히 이루어지고 있었다는 점 등을 강조한다.

그렇다면 이와 같은 은행의 기업통치 구조와 행동은 산업발전에서 어떠한 의미가 있는 것일까? 우선 부정적인 측면을 본다면 혈연집단 이외에는 기업의 자금시장에의 접근이 제한되어 있었다는 것을 생각해볼 수 있다. 라모루는 은행의 설립이 자유로웠고 실제로 다수의 은행이 설립되었다는 점을 들어서 이러한 가능성을 기각하고 있다. 반대로 긍정적인 측면으로는 은행의 설립으로 은행에는 자본금이 모이고 그렇게 모인 자금은 산업화를 위해 사용된다는 점을 지적할 수 있다. 라모루의 논문에서는 특별히 강조하지는 않지만, 가령 이러한 긍정적인 효과가 있었다고 한다면 그것은 혈연적 집단이 은행과 산업기업 양쪽으로 관계를 맺고 있어서 양자 간에 정보의 비대칭성이 해결 내지 완화되었기 때문이라고 생각할 수 있다.

4) 관계융자와 금융 위기

흥미롭게도 라모루는 자신의 논문에서 결론을 일반화하면서, 개발도상국에서 높은 리스크와 조직적인 시장의 결여를 혈연집단이 메워주는 역할을 하는 사례를 인용하였다. 오늘날 개발도상국에서 관계융자의 긍정적인 측면이 관찰되는 것은 분명 부정할 수 없다. 그러나 1990년대 말에 아시아 금융위기를 겪으면서부터는 개발도상국의 관계융자에 대한 부정적인 측면이 강조되기 시작했다. 대표적인 연구가 라파엘 라포르타 (LaPorta, R.) 등의 논문이다.[6] 그들은 1990년대 멕시코의 은행에서 지배적 주주의 관계사업에 대한 융자가 높은 비중을 차지했다는 점과 관계융자에는 낮은 금리가 설정되었다는 점, 그리고 채무 불이행이 발생할 확률이 일반융자보다 높았다는 점 등을 밝혀냈다. 이러한 현상이 발생하는 이유를 라포르타 등은 다음과 같이 설명하고 있다. 일단 은행과 관계기업에서 지배적인 위치를 차지하는 주주는 은행에 관계융자에 대한 이자를 지불하는 한편, 은행으로부터 주주로서의 수익을 기대할 수 있다. 그리고 이러한 지배적 주주의 주식소유 비율을 보면 은행보다 산업기업

(관계기업) 쪽이 높다. 그런데 불황기에는 비관계융자의 채무 불이행이 발생할 수 있고, 그럴 경우 지배적 주주는 은행에서 얻을 수 있는 (주주로서의) 수익이 은행에 지불하는 이자비용보다 줄어들 가능성이 있다. 라포르타의 모델에 따르면 이러한 경우 지배적 주주는 의도적으로 채무 불이행을 일으킨다.

라포르타 등이 오늘날의 개발도상국에서 찾아낸 현상, 즉 산업기업과 은행 양쪽 모두를 지배하고 있는 그룹(지배적 주주)이 산업기업의 이익을 위해서 은행으로부터 거액의 융자를 받아 은행의 다른 소액 주주들과 예금자들에게 불이익을 끼치는 현상은 제2차 세계대전 이전의 일본에서도 관찰할 수 있다. 위에서 언급한 것과 같이 특정의 산업기업을 위해 자금조달의 도구로 이용되었던 은행을 그 당시에도 '기관은행'이라고 부르고 있었다. 가토 도시히코(加藤俊彦)는 일본금융사(日本金融史)에 길이 남을 고전적인 그의 저서를 통해서, 제2차 세계대전 이전의 일본 금융시스템을 특징지을 수 있는 기본적 개념으로 '기관은행'의 역할을 들고 있다.[7]

가토는 그의 저서를 통해 제2차 세계대전 이전에는 일본의 거의 모든 은행에서 기관은행과 같은 성격이 보편적으로 관찰된다는 점을 강조한다. 즉, 그는 "일본의 보통 은행은 크게는 거대한 재벌 은행에서부터 작게는 지방의 영세한 규모의 은행에 이르기까지, 전부 기관은행의 성격을 띠고 있었다"라는 점을 밝혀냈다. 그리고 이러한 성격을 띠는 은행이 많았던 것이 제1차 세계대전 이후에 일본에서 금융 시스템이 불안정해지는 기본적 원인이 되었다고 주장했다. 일본 금융 시스템의 불안정성을 상징하는 대표적인 사건은 1927년에 발생한 금융공황인데, 그 직후에 작성된 일본

은행의 보고서를 보면 "은행의 중역과 임원들이 각기 (은행 이외의) 다른 사업에 깊이 관여하고 스스로도 투기를 하고 있어서 그들이 임원으로 재직하고 있던 은행을 자신들의 투기나 사업에서의 금융기관으로 이용하고 있었던 것"을 금융공황의 원인으로 인정한다.

5) 전전(戰前) 일본의 '기관은행'

위에서 살펴본 대로 가토 도시히코는 기관은행이 제2차 세계대전 이전의 일본에서 매우 보편적이었다는 점을 지적하고 있다. 그러나 그가 정량적인 증거를 제시하고 있는 것은 아니다. 제2차 세계대전 이전 일본의 은행과 기업의 관계를 포괄적으로 파악하는 것이 말처럼 쉬운 것은 아니지만, 오카자키 데쓰지, 사와다 미쓰루, 요코야마 가즈키 등은 은행과 기업 간의 관계를 임원의 겸직관계를 통해 파악하는 방법을 시도했다.[8] 금융공황의 직전에 해당하는 1926년에 일본에는 모두 1420개의 보통은행이 있었다. 그중에 임원에 대한 정보를 얻을 수 있는 1007개의 은행을 살펴보면, 836개(83.0%)의 은행에서 비은행 기업과 임원겸직 관계를 보이고 있었다. 예를 들어, 은행의 임원 한 사람이 두 개의 산업 기업에서 중역을 겸하고 있을 때의 겸직수를 2로 계산하면, 겸직수의 합계는 7314건으로 은행 1개당 7.26건에 달했다(표 8-3).

이러한 임원겸직 관계는 은행 경영에 어떠한 영향을 미쳤을까? 표 8-4는 은행의 이익률(ROE)을 피설명변수로 놓고, 임원 겸직수(로그값) 및 이익률에 영향을 미치는 다른 설명변수들 사이에 회귀분석을 실시해서 도출해낸 결과이다. 가장 왼쪽이 전체 은행의 샘플을 이용한 경우이다. 임원의

표 8-3 전전 일본의 은행·기업 간의 임원겸직 관계(1926년)

산업기업에서의 지위	임원겸직 관계에 있는 은행수	전체 샘플에서의 비중(1007개 은행)	임원겸직수	1행당 임원겸직수
합계	836	83.0	7,314	7.26
사장·회장	407	40.4	962	0.96
집행임원	157	15.6	205	0.20
중역	753	74.8	4,160	4.13
감사	637	63.3	1,987	1.97

자료: Tetsuji Okazaki, Michiru Sawada and Kazuki Yokoyama, "Measuring the Extent and Implications of the Director Interlocking in the Pre-war Japanese Banking Industry," forthcoming in the *Journal of Economic History*, 2005.

표 8-4 전전 일본의 임원겸직 관계와 은행의 수익성(1926년)

피설명변수: ROE, 추정법: Tobit	은행규모			
	전은행	소규모은행	중규모은행	대규모은행
겸직수(로그)	-1.057 (0.316)	-1.316 (0.584)	-1.099 (0.417)	-0.345 (0.615)
자산(로그)	0.283 (0.260)	2.451 (1.246)	-1.039 (1.155)	-0.334 (0.486)
관동지역 더미	-3.455 (0.834)	-4.902 (1.618)	-2.255 (1.205)	-2.474 (1.532)
상위 3개 은행의 지점수 비중	0.014 (0.022)	0.081 (0.051)	-0.036 (0.029)	0.006 (0.036)
증권/자산	7.053 (2.080)	8.441 (2.413)	3.155 (2.946)	7.056 (4.440)
예금/자본	0.688 (0.152)	1.619 (0.549)	0.819 (0.208)	0.554 (0.198)
상수항	7.747 (3.435)	-24.748 (16.695)	28.805 (16.693)	16.626 (7.234)
대수우도	-3374.97	-1091.19	-1060.46	-1178.44
관측수	1007	335	336	336

주: ( ) 안의 수치는 표준오차.
자료: 표 8-3 참조.

겸직 건수의 계수는 통계적으로 유의하게 부(-)로 나타났다. 비금융 기업과의 임원겸직 관계는 은행의 수익성에 부정적인 영향을 미치고 있는 셈이다. 단, 이러한 관계는 은행의 규모에 따라 차이를 보였다. 이를 위해서 일단 은행을 자산규모에 맞춰 위에서부터 1/3씩 세 그룹으로 구분했다. 오른쪽 세 개의 열(列)은 이렇게 구분된 은행들에 대해 규모별로 각각 회귀분석을 실시한 결과를 나타낸다. 은행이 손실을 입을 경우 데이터상으로는 0으로 나타나므로 추정은 토빗모형을 이용했다. 결과를 살펴보면 작은 은행과 중간급 은행에서는 임원 겸직수의 계수가 통계적으로 유의하게 부(-)로 나타났고, 큰 은행에서는 부호가 부로 나타났지만 통계적으로 유의하지는 않았다. 또 계수의 절대치는 규모가 작을수록 값이 크게 나타났다. 지금까지 살펴본 것으로부터 임원겸직 관계는 은행규모를 불문하고 보편적으로 관찰된다는 점을 알 수 있다. 또한 기관은행에 대한 각종 문헌들이 지금까지 강조해온 것처럼 임원겸직 관계가 은행 경영에 부정적인 영향을 끼쳤고, 그러한 부정적인 영향은 중소규모의 은행에 한정되었다는 점 등을 알 수 있었다.

19세기 전반기의 뉴잉글랜드의 사례와 1920년대의 일본의 사례는 각각 은행에 의한 관계융자의 긍정적 측면과 부정적 측면을 보여주는 것이었다. 뉴잉글랜드의 은행이나 일본의 은행 모두 동일하게 은행의 지배적 주주나 경영자의 관계기업에 은행융자가 집중되었다. 그럼에도 왜 그 결과는 각각 다른 형태로 나타나는 것일까? 그 기본적인 이유는 **은행의 부채구조**의 차이에서 기인한다고 생각할 수 있다.

라모루가 강조한 대로 19세기 전반기에 뉴잉글랜드 은행들의 **자기자본비율**은 현저하게 높은 수준에 있었다. 여기에는 두 가지 의미가 내포되

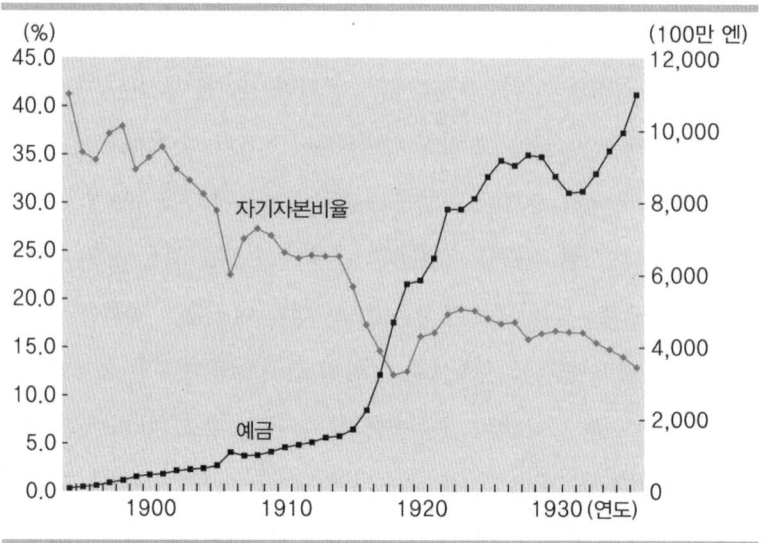

그림 8-1 보통은행의 예금은행화

어 있다. 우선 한 가지는 높은 자기자본비율은 은행 내부의 리스크를 감소시킨다는 것이며, 또 한 가지는 주주와 예금자 사이에 발생할 수 있는 이해의 대립도 감소한다는 뜻이다. 19세기 전반기의 뉴잉글랜드 은행들만큼은 아니었지만 일본 보통 은행의 자기자본비율도 1910년 초까지 높은 수준에 있었다. 1894년, 1914년의 자기자본비율은 각각 45.8%, 26.0%였다. 이러한 상황이 변하게 된 것은 제1차 세계대전기에 예금이 급팽창하면서부터이다. 그 결과, 보통 은행의 자기자본비율은 1920년에 17.4%까지 낮아졌다. 더욱이 주식의 분산도 함께 진행되었다 (그림 8-1).

노무라 상점(野村商店) 조사부의 『주식연감』 1915년 판과 1921년 판을 통해 주주들의 숫자를 알 수 있는 보통 은행 14곳에 대해서 살펴보면,

표 8-5	보통은행에서 주주(株主) 수의 증가	

은행명	1914년	1920년
산주욘(三十四) 은행	2,036	5,695
다이이치(第一) 은행	2,762	4,811
메이지(明治) 은행	1,698	3,579
오미(近江) 은행	1,088	3,247
다이산(第三) 은행	1,420	3,202
산주하치(三十八) 은행	87	2,466
도요쿠니(豊國) 은행	2,198	2,054
아이치(愛知) 은행	779	2,005
데코쿠쇼교(帝國商業) 은행	2,677	2,003
햐쿠산주(百三十) 은행	1,470	1,873
욘주산(四十三) 은행	1,021	1,743
메이지쇼교(明治商業) 은행	602	1,369
니혼쇼교(日本商業) 은행	453	640
평균	1,307	2,479

자료: 노무라 상점 조사부의 『주식연감』 1915년 판과 1921년 판.

은행 한 곳당 평균적인 주주들의 숫자는 1914년부터 1920년에 걸쳐서 1307명에서 2479명으로 증가했다(표 8-5). 이러한 주식의 분산은 주주들 내부에서 지배적 지주와 소액 주주 간의 이해가 대립하는 원인이 되었다. 1920년대 일본의 기관은행이 발생시킨 여러 문제들은 은행의 자기자본비율의 저하와 주주층의 확대로 나타나게 된, 은행의 대리인 관계의 변화가 일으킨 문제라고 볼 수 있다.

4. 자본시장의 발달과 자본거래의 거버넌스

1) 주식시장의 효율성과 공적규제

1절에서 살펴본 대로 미국은 '시장형 금융 시스템'이 작동하는 전형적인 국가로 생각할 수 있다. 그러나 19세기 전반기, 적어도 뉴잉글랜드에서는 은행 관계자에 대한 융자가 기업금융에서 중요한 기능을 하고 있었다. 미국에서 주식시장이 발달하게 된 것은 남북전쟁 이후 특히 19세기 말부터이다. 19세기 말 이후 주식시장에서는 주식이 거래되던 기업의 수와 산업의 다양성이 급속히 증대했다. 그러나 시장 확대가 단지 그 시장이 효율적으로 기능하고 있었다는 것을 의미하는 것은 아니다. **주식시장의 효율성**에 관해서는 표준적인 개념과 테스트 방법이 이미 확립되어 있다. 케네스 스노든 (Snowden, K. A.)은 이러한 방법으로 1870년대부터 1920년대에 걸친 미국 주식시장의 효율성을 테스트했다.[9]

주식시장이 효율적이라는 것은 어떤 기업의 자산가치는 물론 미래에 벌어들일 수익에 대한 가치까지도 주가에 반영되어 있다는 뜻이다.* 시장의 효율성에 관한 표준적인 표현의 한 방법으로서 합리적 기대를 기반으로 한 주가의 배당할인 모델이 있다. 스노든이 테스트에 사용한 이 모델은 t 시점의 주가를 P_t 라고 했을 때 다음과 같이 결정된다.

---

* 효율적 주식시장에서는 어떤 기업의 경영상황에 대한 새로운 정보가 있을 때, 그 정보는 해당 기업의 주식가격에 즉각 반영된다(역자 주).

$$P_t = \sum_{i=0}^{\infty} \frac{E_t(D_{t+1})}{(1+r)^i}$$

주가의 배당할인 모델은 ① 미래의 배당(D_{t+1})에 관해 투자자가 시점 t에서 이용가능한 모든 정보를 이용해 합리적 기대를 하고 있다고 가정한다. 또한 ② 균형에서의 할인율은 일정한 값(r)이 된다고 가정한다. 여기에서 E_t는 기대치를 나타내는 연산자이다. 이러한 효율적 시장가설로부터 주식투자의 수익률에 관해 실증적으로 테스트가 가능한 경제적 함의를 이끌어낼 수 있다. 즉, t 시점에서 주식투자의 수익률은 다음과 같다.

■ 수식 8.2 ■

$$R_t = \frac{P_{t+1} - P_t + D_t}{P_t}$$

그리고 이는 다시 **수식 8.3**과 같이 표현할 수 있다.

■ 수식 8.3 ■

$$R_t = r + u_t$$

수식 8.3에서 u_t는 기대치가 0이고, 계열상관(serial correlation)이 없는 오차항(화이트 노이즈)이다. 따라서 **수식** 8.3이 성립할 경우, 주식투자의 초과수익률($Z_t = R_t - \frac{1}{n}\sum_{i=1}^{n} R_i$)은 계열상관을 갖지 않는다. 이 경우, 초과수익률에 대한 시계열 데이터를 구축해서 계열상관의 유무를 조사해보면 효율적 시장가설을 테스트해볼 수 있다. 스노든은 뉴욕의 주식거래소에 상장되어 있는 전체 주식, 전체 산업주식, 전체 철도주식, 전체 공익사업주식에 대해서 1871년부터 1929년까지 매년 및 분기별로 주가지수를 작성했다. 여기에서는 연차 데이터를 이용한 분석결과에 대해서 설명하고자 한다. 스노든은 초과수익률의 연차 데이터를 이용해서 다음과 같은 시계열 모델을 추정했다.

표 8-6 미국 주식시장의 효율성에 관한 테스트(1871~1929년)

	전체 주식	산업주식	철도주식	공공사업주식
래그(lag) 1년	0.03	-0.09	0.12	0.06
2년	-0.32*	-0.42*	-0.17	-0.22
3년	0.16	0.18	0.04	0.16
4년	0.06	0.16	0.08	0.08
5년	-0.33*	-0.43*	-0.27	-0.26
6년	0.16	0.12	0.08	0.2
7년	0.15	0.25	0.11	0.19
8년	-0.19	-0.22	-0.15	-0.12
9년	-0.06	-0.04	-0.17	-0.17
10년	0.12	0.28	0.02	0.09
Q10	22.7*	42.4**	13	18.6*

주: * 5% 수준에서 통계적으로 유의함, ** 1% 수준에서 통계적으로 유의함.
자료: Kenneth A. Snowden, "American Stock Market Development and Performance, 1871-1829," *Explorations in Economic History*, 24, 1987.

┃ 수식 8.4 ┃

$$Z_t = \sum_{i=1}^{10} \Phi_i + e_t$$

추정결과는 표 8-6에 나와 있다. 먼저 추정된 계수 Φ_i를 보면, 전체 주식과 산업기업 주식의 두 가지의 계열에 대해서 2기와 5기 래그(lag)의 계수가 통계적으로 유의하게 0이 아니다. 또한 계열상관의 유무를 테스트 하기 위한 Q 통계량은 전체 주식, 산업주식, 공익사업주식에 대해서 충분히 큰 값을 가지므로 계열상관이 없다고 하는 가설은 기각된다. 즉, 19세기 말에서 20세기 초에 걸친 미국의 주식시장에서 효율적 시장 가설은 기각되는 것이다.

이러한 결과를 바탕으로 스노든은 효율적 시장 가설이 기각되는 이유에 대해서 다음과 같이 설명한다. 기본적인 전제가 되는 것은, 이 시기에 주식의 수와 다양성이 급속하게 증가했다는 점과 다수의 새로운 투자자가 주식시장에 참여하게 되었다는 점이다. 주식시장의 확대로 인해 주식시장에 어떠한 새로운 시스템을 도입하거나 투자자들 사이에 **필요한 정보**가 교류되는 데 더 오랜 시간이 걸리게 되었다고 생각할 수 있다. 실제로 주식시장의 규모는 점점 커져 갔지만 주식시장의 시스템은 오랫동안 변경되지 않았다. 예컨대, 기업의 정보공시에 관한 공적규제가 도입되는 것은 1930년대 대공황을 겪으면서부터이다. 결국 이러한 것들이 시장의 효율성을 저하시켰다고 스노든은 보고 있다.

2) 'J. P. 모건은 기업가치를 향상시켰을까?'

지금까지 살펴본 바와 같이 스노든은 주식시장의 기능을 지지하는 제도적 조건으로서 **정보공시에 관한 공적규제**에 주목했다. 그러나 주식시장의 제도적 기초는 공적규제만은 아니다. 사적 조직에 의한 거래의 거버넌스도 중요한 기능을 하는 경우가 있다. 브래드포드 디롱은 같은 시기 미국의 주식시장에 대해서 이러한 문제에 초점을 맞추었다.[10] 디롱이 주목한 현상은, 20세기 초에(제1차 세계대전 이전) 미국에서 대규모의 투자 은행이 출현하고 투자 은행 업무가 **소수의 대투자 은행**의 손에 집중됨과 동시에 대투자 은행들은 많은 기업에 **임원을 파견**하고 있었다는 점이었다. 대투자 은행 중에는 J. P. 모건, 쿤 로브, 퍼스트 내셔널 뱅크 등이 있었지만 그중에서도 특히 모건이 대규모였다.

디롱은 이러한 대투자 은행들의 기능에 관한 당시의 증권업계의 시각을 보여주는 문헌으로서 무디스 인베스터즈 서비스의 창업자이자 당시에는 저널리스트였던 존 무디(Moody, John)의 저서를 언급한다. 무디는 기업에게 자본이 필요하고, 자본가에게 투자해야 할 기업의 선택을 도와주는 중개업자가 필요하다면 **금융업자가 기업 경영자를 감독하는 것이 필요하다**고 서술하고 있다. 대투자 은행들이 기업의 이사회에서 지배적인 지위를 차지하고 있지 않다면 분산된 개인 주주들은 기업 경영자의 행위를 감시할 방법이 없다고 보고 있기 때문이다. 대투자 은행들은 경영자를 효과적으로 감시할 수 있기 때문에 대투자 은행들이 이사회에 참가하고 있다고 하는 사실은, 그 기업의 경영자가 유능하게 근무하고 있다는 신호를 투자자들에게 보내는 것이 된다. 이러한 시각은 비단 무디뿐만이 아니라 당시의 투자은행 업무에 관한 교재나 J. P. 모건의 팸플릿에도 잘 나와 있다.

더욱이 모건의 팸플릿에서는 투자은행의 기업 이사회의 참가와 **투자은행업의 과점적 구조**에 대해 다음과 같이 설명하고 있다. 첫째, 이사회의 참가에 의해 기업 경영자의 능력과 근면함이 보증되고 그렇게 되면 유능한 기업은 좀 더 유리한 조건으로 증권을 발행할 수 있다. 둘째, 이사회에 참가하는 것으로 투자은행은 손쉽게 경영자의 실적을 파악할 수 있고, 경영자로서 자격이 부족한 경우에는 재빠르게 해고할 수도 있다. 그리고 투자은행이 과점적일 때 경영자를 감시하기가 쉽고 실적이 낮은 경영자를 쉽게 해고할 수 있다. 셋째, (과점적인 시장에서) 높은 비중을 차지하는 투자은행은 평판에 대한 가치가 높기 때문에 단기적인 이익을 위해 평판을 희생하려는 인센티브를 가지지 않는다. 그 때문에 투자은행업의 과점구조는 시장의 기능을 개선하는 효과가 있다.

3) J. P. 모건의 기능에 관한 실증분석

디롱은 이와 같은 당시의 투자은행업계의 시각을 실증적으로 테스트했다. 1912년에 모건이 이사회에 참가하는 기업 중에서 보통주가 활발히 거래되고 있는 것은 20개사였다(공익사업 3개 회사, 철도 9개 회사, 그 외 8개 회사). 이들 기업과 비교하기 위해 디롱은 규모가 동일한 62개사를 컨트롤 샘플로 선택했다. 표 8-7은 이러한 기업들에 대해서 1911~1912년 평균 주식의 시가/장부가격을 피설명변수로 놓고, 모건이 이사회를 파견하고 있다는 것을 나타내는 더미변수(모건 더미) 및 그 밖의 통제변수에 대한 회귀분석을 실시한 결과이다.

표시되어 있는 것은 각각 다른 추정식 5개의 추정 결과이다. 가장 왼쪽의 첫 번째 열에서 볼 수 있듯이 모건 더미만을 설명변수로 할 경우, 계수는 정으로 나타나지만 통계적으로 유의하지는 않다. 그러나 두 번째 열에서 공익사업* 더미를 첨가하면 모건 더미의 계수는 유의하게 정으로 나타난다. 모건이 임원을 파견하고 있는 기업(이하 모건계 기업이라고 한다)들은 다른 조건이 동일한 경우 주가가 상대적으로 높았다는 관계가 인정된다.

세 번째 열 이하는 모건계 기업의 주가가 높은 이유를 설명하기 위한 것이다. 이익주가비율[이익 / 주가, PER(주가수익률)의 역수]은 각 기업의 시장에서의 독점도를 파악하기 위한 변수이다. 독점도는 매 기간의 이익에는 직접 반영되지만 장기의 기대이익에 의해 결정되는 주가에는 큰 영향

---

* 예를 들어 수도, 전기, 가스 회사(역자 주).

표 8-7 J. P. 모건에서 파견된 임원이 기업의 이사회에 참여할 때의 효과

피설명변수: 주가/1주당 자기자본의 장부가격(로그값, 1911~1912년 평균)					
모건의 참가 더미	0.259 (0.161)	0.270* (0.161)	0.253* (0.144)	0.375* (0.151)	0.055 (0.102)
공익사업 더미		0.281 (0.197)	0.107 (0.175)	0.441* (0.186)	0.155 (0.124)
이익/주가			-1.834* (0.304)		
자기자본/자본금(로그값)				1.680* (0.374)	
이익/자기자본(로그값)					0.596* (0.073)
adR^2	0.021	0.038	0.270	0.180	0.236

주: ( ) 안의 수치는 표준오차, * 5% 수준에서 통계적으로 유의함.
자료: J. Bradford De Long, "Did J. P. Morgan's Man add Value?: An Economist's Perspective on Financial Capitalism," in Peter Temin(ed.), Inside the Business Enterprise, Chicago: The University of Chicago Press, 1991.

을 미치지 않는다. 따라서 독점도가 높은 기업일수록 이익주가비율이 크다고 생각할 수 있다. 만약 모건계 기업의 높은 주가가 독점 때문이라고 한다면 이익주가비율을 설명변수로 집어넣는 것에 의해 모건 더미의 계수는 작아지거나 통계적으로 유의하지 않아야 한다. 그러나 모건 더미의 계수는 크게 작아지지 않았고 통계적으로도 유의하므로 모건계 기업의 높은 주가가 독점 때문이라고는 볼 수 없다. 단지 이익주가비율 계수의 부호가 예상했던 것과 반대로 나타났기 때문에 그다지 확실한 테스트의 결과라고 말할 수는 없다.

네 번째 열에서는 자기자본/자본금(로그값)을 설명변수로 첨가하고 있다. 이것은 기업의 장기적인 성장성을 파악하기 위한 변수이다. 자기자본/자본금의 계수는 통계적으로 유의하게 정으로 나타났지만 모건 더미

의 계수는 오히려 증가하고 있다. 따라서 모건계 기업의 높은 주가는 기업들의 장기적인 성장성 때문만은 아니라고 볼 수 있다. 마지막으로 다섯 번째 열은 자기자본이익률(이익 / 자기자본)을 설명변수에 더한 것이다. 자기자본이익률의 계수는 유의하게 정으로 나타나고, 모건 더미의 계수는 큰 폭으로 작아지는 동시에 통계적으로도 유의하지 않게 된다. 이러한 결과는 모건계 기업의 높은 주가가 기업들의 높은 자기자본이익률 때문이라는 것을 보여주는 것이다. 결국 이와 같은 사실로부터 모건계 기업은 상대적으로 주가가 높고, 그것은 높은 자기자본이익률에 의한 것이라는 결론을 이끌어낼 수 있다.

그러나 이러한 분석 결과만으로 인과관계까지 알 수는 없다. 즉, 모건의 관여가 기업의 자기자본이익률을 높였을지 아니면 반대로 이익률이 높은 기업들을 모건이 선택해서 관여했는지는 구별할 수 없다. 이와 같은 문제를 해결하기 위해서 디롱은 인터내셔널 하베스트와 AT&T의 사례를 관찰했다. 이러한 사례 분석을 통해 디롱은 모건을 중심으로 한 투자은행이 경영자의 선임에 중요한 역할을 하고 있었다는 점과 선택된 경영자가 기업 업적에 긍정적인 영향을 미치고 있었다는 점 등을 밝혀냈다.

주식거래에서는 주식의 발행자인 기업 내지 기업의 경영자와 주식의 구입자인 투자자 사이에 커다란 정보의 비대칭성이 존재한다. 그러한 비대칭성은 투자자가 분산되어 있을수록, 기업이 대규모일수록 심각하다. 즉, 기업이나 경영자의 질에 관한 정보를 사전에 투자자가 알 수 없기 때문에 생기는 **역선택**이나 주식발행 후에 경영자가 노력을 게을리 하거나 자신의 이익을 위해 주주의 이익에 해를 끼치게 되는 **모럴 해저드**가 발생하기 쉬운 것이다. 이러한 문제들을 어떻게 해결하느냐가 **기업통치**의 주요한 과제 중 하나이다. 스노든이 초점을 맞춘 공적규제에 의한 정보공시도 정보의 비대칭성 문제를 해결하는 하나의 수단이지만, 20세기 초에 미국에서는 **투자은행에 의한 거버넌스**가 그러한 기능을 담당하고 있었다. 그리고 거버넌스에서 투자은행 스스로가 성실하게 행동하는 것은 평판 메커니즘이 지지하고 있었다.

❶ 프랭클린 앨런·더글러스 게일, *Comparing Financial System*(Cambridge MA: The MIT Press, 2000)에서 제3장을 읽어보고, 금융 시스템의 국제 간 차이점을 정리해보자.

❷ 라파엘 라포르타, 플로렌치오 로페즈(Lopetz-De-Silianes, Florencio), 안드레이 슐라이퍼(Schleifer, Andrei), 로버트 비슈니(Vishny, Robert W.), "Legal Determinants of External Finance"(*The Journal of Finance*, 52(3): 1131~1150, 1997)를 찾아서 읽어보고, 금융 시스템의 국제 간 차이점과 법제도의 관계에 대해서 정리해보자.

❸ 사무엘 헤이즈(Hayes, Samuel L.)와 필립 허버드(Hubbard, P. M.), *Investment Banking: A Tale of Three Cities*(Harvard Business School Press, 1989)를 읽고, 뉴욕, 런던, 도쿄의 주식시장과 투자은행의 역사를 각각 간단하게 정리해보자.

❹ 마크 로(Roe, Mark J.), *Strong Managers and Weak Owners: The Political Roots of American Corporate Finance*(Princeton Univ. Press, 1996)를 읽고 미국의 코퍼레이트 거버넌스와 금융 시스템에 대해서 정리해보자.

❺ 호시 다케오(Hoshi, Takeo)와 아닐 카샵(Kashyap, Anil), *Corporate Financing and Governance in Japan: The Road to the Future*(Cambridge MA: MIT Ptess, 2001)를 읽어보고, 일본의 코퍼레이트 거버넌스와 금융 시스템에 대해서 정리해보자.

제1장

1) アーノルド・トインビー, 『歴史の教訓』, 松本重治編 譯, 岩波書店, 1957年, pp. 2~3.

2) E. H. カー, 『歴史とは何か』, 淸水幾太郎 譯, 岩波新書, 1961年, p. 95.

3) 世界銀行, 『東アジアの奇跡－經濟成長と政府の役割』, 白鳥正喜監 譯, 東洋經濟新報社, 1994年.

4) Joseph E. Stiglitz and Shahid Yusuf(eds.), *Rethinking East Asian Miracle*, Washington DC.: The World Bank, 2001.

5) カール・マルクス, 『資本主義的生産に先行する諸形態』, 手島正毅 譯, 國民文庫, 1963年.

6) 물론 역사 연구에 따라서 전혀 다른 방향을 지향하는 것도 가능하다. 즉, '종신고용'의 기원을 근대 이전으로 거슬러 올라가, 종신고용이 문화에 뿌리를 두고 있다는 것을 밝혀내는 방법이 그것이다. 좀 더 일반적으로 말하면, 여기에서는 '지금 현재의 어떤 관계를 상대화한다'라는 역사 연구의 의미를 강조했지만, 반대로 '지금 현재의 어떤 관계'에 대해 그 역사를 살펴봄으로써 관계의 근저를 논증해내는 방법도 있을 수 있다.

7) Milton Friedman and Anna Schwartz, *A Monetary History of the United States, 1867-1960*, Princeton: Princeton University Press, 1963.

8) Charles Calomiris and Gary Gorton, "The Origins of Banking Panics: Models,

Facts, and Bank Regulation," in R. Glenn Hubbard(ed.), *Financial Markets and Financial Crises*, Chicago: The University of Chicago Press, 1991.

9) 실험경제학에 대해서는, 下村硏一, 『實驗經濟學入門』, 新世社, 2015 혹은 西條 辰義編, 『實驗經濟學』, NTT出版, 2007을 참조.

10) 新保博, 『近代日本經濟史』, 創文社, 1995年, pp. 10~12

11) Daniel Bernhofen and John Brown, "A Direct Test of the Theory of Comparative Advantage: The Case of Japan," *The Journal of Political Economy*, 112(1), pp. 48~67.

12) マルク・ブロック, 『新版 歴史のための弁明-歴史家の仕事』, 松村剛 譯, 岩波書店, 2004年.

13) マルク・ブロック, 『フランス農村史の基本的性格』, 河野健二・飯沼二郎 譯, 創文社, 1995年.

14) 같은 책, pp. 21~22

15) Paul David, "Clio and the Economics of QWERTY," *The American Economic Review*, vol. 75(2), pp. 332~335, 1985.

16) 네트워크 외부성에 대해서는, 장 티롤의 산업조직론에 관한 교과서(Jean Tirole, *The Theory of Industrial Organization*, Cambridge, MA: MIT Press, 1998)의 404~406쪽을 참조.

17) QWERTY의 보급을 네트워크 외부성과 경로의존성으로 설명하는 것에 대해서는 비판이 있다. 스탠 리보위츠와 스티븐 마골리스는 DSK가 더 효율적인 키보드 디자인이라고 주장한 데이비드의 전제는 사실과 다르며, QWERTY의 보급에는 합리적인 이유가 있었다고 주장한다(Stan J. Liebowitz and Stephen E. Margolis, "The Fable of the Keys," *Journal of Law and Economics*, 33(1): 1~25, 1990).

제2장

1) サイモン・クズネッツ, 『経濟成長-六つの講義』, 長谷部亮一 譯, 巖松堂, 1961年.

2) サイモン・クズネッツ, 『近代經濟成長の分析』, 塩野谷祐一 譯, 東洋經濟新報社, 1971年.

3) アンガス・マディソン, 『世界經濟の成長史: 1820~1992』, 金森久雄監 譯, 東洋經濟新報社, 2000年.

4) ロバート・ソロー,『成長理論』第2版, 福岡正夫 譯, 岩波書店, 2000年.

5) N. Gregory Mankiw, David Romer and David N Weil, "A Contribution to the Empirics of Economic Growth," *The Quarterly Journal of Economics*, 107(2), pp. 407~437, 1992.

제3장

1) カール・マルクス,『経濟學批判』, 武田隆雄 譯, 岩波文庫, 1956年.

2) カール・マルクス,『資本論』, 向坂逸朗 譯, 岩波文庫, 1969年.

3) マックス・ウェーバー,『宗教社會學論選』, 大塚久雄・生松敬三 譯, みすず書房, 1972年. 이 책은 베버의『종교사회학논집』을 초역(抄譯)한 것이다.

4) マックス・ウェーバー,『プロテスタンティズムの倫理と資本主義の精神』, 大塚久雄 譯, 岩波文庫, 1988年.

5) Sascha O. Becker and Ludger Woessmann, "Was Weber Wrong?: A Human Capital Theory of Protestant Economic History," *Quarterly Journal of Economics*, May 2009: 531~596.

6) 도구변수와 2SLS에 대해서는, 예를 들어 한치록,『계량경제학 강의』, 박영사, 2016년의 제15장을 참조.

7) 현대의 크로스컨트리 데이터를 사용하여 종교와 경제성장의 관계를 검토한 논문으로는, Rachel M. McCleary and Robert J. Barro, "Religion and Economy," *Journal of Economic Perspectives*, 20(2): 49~72, 2016이 있다.

8) Alexander Gerschenkron, *Economic Backwardness in Historical Perspective: A Book of Essays*, Cambridge MA: Belknap Press of Harvard University Press, 1962.

제4장

1) D. C. ノース, R.P. トマス,『西歐世界の勃興－新しい経濟史の試み』, 速水融・穐本洋哉 譯, ミネルバ書房, 增補版, 1994年.

2) 거래비용 경제학에 대해서는, Oliver E. Williamson, *Economic Institutions of Capitalism: Firms, Markets and Relational Contracts*, New York: Free Press, 1985를 참고.

3) Douglas C. North and Barry Weingast, "Constitutions and Commitment: The Evolution of Institutions Governing Public Choice in Seventeenth-Century England," *The Journal of Economic History*, 49(4), pp. 803~832, 1989.

4) Daron Acemoglu, Simon Johnson and James A. Robinson, "The Colonial Origins of Comparative Development: An Empirical Investigation," *American Economic Review*, 91(5): 1369~1401, 2001.

5) Philip D. Curtin, *Disease and Empire: The Health of European Troops in the Conquest of Africa*, Cambridge: Cambridge University Press, 1998.

6) ダグラス・ノース, 『制度, 制度変化, 経済成果』, 竹下松視 譯, 晃洋書房, p. 3.

7) Avner Grief, "Microtheory and Recent Developments in the Study of Economic Institutions through Economic History," in David M. Kreps and Kenneth F. Wallis(eds.), *Advances in Economics and Econometrics: Theory and Applications*, vol. 2, Cambridge: Cambridge University Press, 1997; アブナー・グライフ, 『比較歴史制度分析』, 岡崎哲二・神取道宏監 譯, NTT出版, 2009年; 青木昌彦, 『比較制度分析に向けて』, 瀧澤弘和・谷口和弘 譯, NTT出版, 2001年.

제5장

1) 이하 유럽에 관한 기술은 특별한 언급이 없는 한, Rondo Cameron, *A Concise Economic History of the World: From Paleolithic Times to the Present*, Oxford: Oxford University Press, 1989에 의한다.

2) 이하 일본에 관한 기술은, 특별한 경우를 제외하고 石井寬治, 『流通史』, 有斐閣, 2003年; 櫻井英治・中西聰, 『流通経済史』, 山川出版社, 2002年; 藤田貞一郎・宮本又朗・長谷川彰, 『日本商業史』에 의한다.

3) 明石茂夫, 「近世後期経済における貨幣, 物価, 成長 - 1725~1856」, 『経済研究』, 40(1), 1989年.

4) Avner Greif, "Contract Enforceability and Economic Institutions in Early Trade: Maghribi Traders' Coalition," *The American Economic Review*, 83(3): 525~548, 1993.

5) 그라이프의 마그리비 상인에 관한 연구는 학계에 커다란 반향을 불러일으켰으며, 그만큼 많은 비판도 제기되었다. 그중 하나로 제레미 에드워드와 셸리아 오길비

에 의한 연구가 있다. 그들의 주장을 살펴보면 다음과 같다. 마그리비 상인은 분명히 조직을 형성하여 비공식 계약집행 메커니즘을 이용했으나, 그들은 동시에 공적인 재판 기관을 이용하여, 공식·비공식의 계약집행 메커니즘을 병용했다. 그리고 이러한 방식은 마그리비 상인뿐만이 아니라 중세 유럽의 다른 상인들도 흔히 사용했다는 것이다(Jeremy Edwards and Sheilagh Ogilvie, "Contract Enforcement, Institutions, and Social Capital: The Maghribi Traders Reappraised," *Economic History Review*, 65(2): 421~444, 2012). 이에 대해 그라이프는 같은 학회지에 반론을 게재하였다(Avner Greif, "The Maghribi Traders: A Reappraised?," *Economic History Review*, 65(2): 445~469, 2012).

6) 이하는 岡崎哲二,「近世日本の経済發展と株仲間−歴史制度分析」, 岡崎哲二 編,『取引制度の経済史』, 東京大學出版會, 2001年; Tetsuji Okazaki, "The Role of the Merchant Coalition in Premodern Japanese Economic Development: An Historical Institutional Analysiy," *Explorations in Economic History*, 42, pp. 184~201, 2005에 의한다.

제6장

1) アーノルド·トインビー,『英國産業革命史』, 川喜孝哉譯, 高山書院, 1943年, 원저는 1884年에 발행.

2) トーマス·アシュトン,『産業革命』, 中川敬一郎 譯, 岩波文庫, 1973年

3) Nicholas F. R. Crafts, "Historical Perspectives on Development," in General E. Meier and Joseph E. Stiglitz(eds.), *Frontiers of Development Economics: The Future in Perspective*, Oxford: Oxford University Press, 2000.

4) C. Knick Harley, "British Industrialization Before 1841: Evidence of Slower Growth during the Industrial Revolution," *Journal of Economic History*, 42(2), pp.267~289, 1982.

5) Kenneth Pomerantz, *The Great Divergence: China, Europe, and the Making of Modern World Economy*, Princeton: Princeton University Press, 2000(川北 稔譯『大分岐: 中國、ヨーロッパ、そして近代世界経済の形成』, 名古屋大學出版會, 2015年).

6) ロバート·C·アレン『なぜ豊かな國と貧しい國が生まれたのか』, グローバル 経済史研究會譯, NTT出版, 2012年; Robert C. Allen, *The British Industrial*

Revolution in Global Perspective, Cambridge: Cambridge University Press, 2009, グレゴリー・クラーク, 『10万年の世界経濟史』, 久保惠美子 譯, 日経BP社, 2009年, Joel Mokyr, *The Enlightened Economy, An Economic History of Britain 1700-1850*, New Haven: Yale University Press, 2009.

7) Michael Kremer, "Population Growth and Technological Change: One Million B. C. to 1990," *Quarterly Journal of Economics*, 108(3): 681~716, 1993; Marcos Chamon and Michael Kremer, "Economic Transformation, Population Growth and the Long-run World Income Distribution," *Journal of International Economics*, 79: 20~30, 2009; Oded Galor, *Unified Growth Theory*, Princeton: Princeton University Press, 2011.

8) アダム・スミス, 『諸國民の富』, 大內兵衛・松川七朗譯, 岩波文庫, 1959~1966年.

9) スティーブン・マーグリン, 「ボスたちは何をしているか」, 青木昌彦編著, 『ラディカルエコノミックス』, 中央公論社, 1973年.

10) David S. Landes, "What Do Bosses Really Do?" *The Journal of Economic History*, 46(3), pp.585~623, 1986.

11) Oliver E. Williamson, *Economic Institutions of Capitalism: Firms, Markets and Relational Contracts*, New York: Free Press, 1985, Chapter 9.

12) 이하 アルフレッド・チャンドラー, 『アメリカ経営史』, 丸山惠也 譯, 亞紀書房, 1986.에 의한다.

13) アルフレッド・チャンドラー, 『経営者の時代－アメリカ産業における近代的企業の成立』(上・下), 鳥羽欽一郎・小林袈裟治, 東洋経濟新報社, 1979年.

14) Naomi R. Lamoreaux, Daniel M. G. Raff and Peter Temin, "Beyond Markets and Hierarchies: Toward a New Synthesis of American Business History," *American Historical Review*, April, 2003, pp. 404~433.

제7장

1) 이하 특별한 언급이 없는 한, Jeremy Attack and Peter Passell, *A New Economic View of American History*, second edition, New York: W. W. Norton, 1994에 의한다.

2) R. W. フォーゲル, 『アメリカ経濟發展の再考察－ニューエコノミック・ヒスト

リー十講』, 田口芳弘・澁谷昭彦譯, 南雲堂, 1977年, p. 257.

3) Robert W. Fogel and Stanley L. Engerman, "Explaining the Relative Efficiency of Slave Agriculture in the Antebellum South," *The American Economic Review*, 67(3), pp. 275~296, 1977.

4) Stefano Fenoaltea, "Slavery and Supervision in Comparative Perspective: A Model," *The Journal of Economic History*, 44(3), pp. 635~668, 1984.

5) Bengt Holmstrom and Paul Milgrom, "Multitask Principal-Agent Analyses: Incentive Contracts, Asset Ownership, and Job Design," *Journal of Law Economics and Organization*, 7, 1991, pp. 24~52.

6) Daniel A. Ackerberg and Maristella Botticini, "The Choice of Agrarian Contracts in Early Renaissance Tuscany: Risk Sharing, Moral Hazard or Capital Market Imperfection?" *Explorations in Economic History*, 37, pp. 241~257, 2000.

7) デービット・ランデス, 『西ヨーロッパ工業史－産業革命とその後, 1750- 1968 』, 1, 石坂昭雄・豊岡庄一 譯, みすず書房, 1980年.

8) Agnete Raaschou Nielsen, "The Organizational History of the Firm: The Putting Out System in Denmark around 1900," *Scandinavian Economic History Review*, 41(1), 1993, pp. 3~17.

제8장

1) 이하 Franklin Allen and Douglas Gale, *Comparing Financial System*, Cambridge MA: The MIT Press, 2000, chapter 2에 의한다.

2) Raymond W. Goldsmith, *Financial Structure and Development*, New Haven: Yale University Press, 1969.

3) Robert G. King and Ross Levine, "Finance, Entrepreneurship and Growth: Theory and Evidence," *Journal of Monetary Economics*, 32, pp. 513~542, 1993.

4) Ross Levine and Sara Zervos, "Stock Markets, Banks and Economic Growth," *The American Economic Review*, 88(3), 1998, pp. 537~558.

5) Naomi R. Lamoreaux, "Banks, Kinship, and Economic Development: The New England Case," *The Journal of Economic History*, 46(3), 1986, pp. 647~667.

6) Rafael LaPorta, Florencio Lopez-De-Silanes and Guillermo Zamarripa, "Related Lending," *The Quartely Journal of Economics*, 118(1), 2003, pp. 231~268.

7) 加藤俊彦, 『本邦銀行史論』, 東京大學出版會, 1957年.

8) Tetsuji Okazaki, Michiru Sawada and Kazuki Yokoyama, "Measuring the Extent and Implications of Director Interlocking in the Prewar Japanese Banking Industry," forthcoming in *The Journal of Economic History*, 65(4), pp.1082~1115, 2005.

9) Kenneth A. Snowden, "American Stock Market Development and Performance, 1871~1929," *Explorations in Economic History*, 24, 1987, pp. 327~353.

10) J. Bradford DeLong, "Did J. P. Morgen's Men Add Value?: An Economist's Perspective on Financial Capitalism," in Peter Temin(ed.), *Inside the Business Enterprise: Historical Perspectives on the Use of Information*, Chicago: The University of Chicago Press, 1991.

숫자

1인당 GDP   50, 54~57, 62, 66, 68~69,
    71, 209
1인당 생산량   58
1인당 실질 GDP   209~211
2SLS(2단계 최소자승법)   84, 103

알파벳

AT&T   233
Autarkie   ☞ 폐쇄적 자급경제   38
「Clio(역사의 여신)와 QWERTY 경제학
    」   42
DSK식 자판   43
engines   216
GDP   ☞ 국내총생산   33, 53, 55, 57
    1인당 GDP   50, 54~57, 62, 66, 68~
    69, 71, 210
    1인당 실질 GDP   210~211
    명목 GDP   23
GNP   ☞ 국민총생산   53, 208

OECD   53
OLS   ☞ 최소자승법 84~85, 87, 103
    2SLS(2단계 최소자승법)   84, 103
TFP   ☞ 총요소생산성   150, 180, 211,
    212
Q 통계량   228
QWERTY식 자판   43~44

ㄱ

가격조정기능   138
가내 노동자   197~198
가네쿠지(金公事)   133~134
가부나카마   14, 108, 134~138, 140~
    141
『가부나카마의 연구』   134
가설
    경제적 후진성 가설   72, 88, 91
    리스크 셰어링 가설   174, 192, 194
    멀티태스킹 가설   174, 192, 194
    모럴 해저드 가설   174, 192, 194

베버 가설 82, 87

비대칭정보 가설 35~36

예금인출 리스크 가설 34, 36~37

효율적 시장 가설 201, 228

가토 도시히코(加藤俊彦) 220~221

간조부교(勘定奉行) 132

갈러, 오데드(Galor, O.) 154

감가상각 60~61

감가상각률 50, 68

개발경제학 24~25, 70, 100

개발원조 24~25

개발정책의 표준 24

거래관리제도 105

거래비용 96, 239

거래비용의 경제학(Transaction Cost Economics) 13, 96, 104~105, 142, 159~160, 167, 169, 173, 184

거래비용의 절약 160, 197

거래의 내부화 142, 169, 171

거래의 속성 105, 167

거래의 통치구조 167

거버넌스 200, 213, 226, 229, 234

거센크론, 알렉산더(Alexander Gerschenkron) 72, 88~91, 148, 207

게일, 더글라스(Gale, D.) 203, 205, 235

게임의 룰 105

게임이론 45, 106, 128

겐겐타이호(乾元大宝) 117

결정계수 68

결제의 효율성 205

결탁(coalition) 108, 125, 127~128,

130, 135

경로의존성(path dependence) 19, 40, 42, 45, 48~49

경영위원회 166

경제관계 26

경제발전 단계론 13, 72~73, 75, 88, 95

경제사 21, 22~26, 29~30, 33, 37~38, 40, 49, 53, 70, 78, 91, 95~96, 100, 104~105, 125, 141, 145, 169, 178, 190

경제사 리뷰 21

경제사 저널 21

경제사 탐구 21

실험실로서의 경제사 33

경제성장 13, 24~25, 50, 53, 55~57, 61~62, 65, 95, 98, 123~124, 139, 150, 206, 208~209, 212~213

경제성장이론 57, 72~75, 92, 209

『경제성장에 관한 6개의 강의』 53

경제적 후진성 가설 72, 88, 91

경제주체의 동기 105

『경제학비판』 75

계수 68, 139, 209~212, 223, 228, 231~232

계약집행 97, 126~127

계약이론 142, 174, 186, 190

계열상관(serial correlation) 227~228

고용조정 29

고용주 148, 186

고전고대적 75

고쿠다카(石高)제 120

고통의 인센티브 184~186

고튼, 게리(Gorton, G.) 34, 37

골드스미스, 레이먼드(Goldsmith, R. W.) 208

공업 통계조사 197

공업기업 162, 164

공업화의 장애요인 90

공임 157, 195

공장제 142~143, 145, 148~149, 155, 157~158, 160~161, 173~174, 177, 195, 199

공적규제 200, 226, 229, 234

공정의 표준화 174, 198

공조 113

관계사업 219

관계융자 200, 213, 218~219, 223

관구 162~163

관구지배인 162

관리(governance) 105

관리제도 105

거래관리제도 105

교섭비용 96

교육 13, 95

교지 134, 137

구라야시키(藏屋敷) 120

구빈법 149

국내총생산 ☞ GDP 33, 53, 55, 57

국민소득계정 51, 53

국민총생산 ☞ GNP 53, 208

『국부론』 155

국채 거래 206

권리장전 99

권익옹호기능 135

귀금속 203

귀금속 화폐 203

규모에 대한 수확불변 57

규모의 경제성 13, 95, 148

규율과 감독 143, 158~160

그라이프, 애브너(Avner Greif) 14, 106, 108, 125, 127~128, 132, 141

그리스 111

『근대 경제성장의 분석』 53

근대 서유럽 80~81, 95

금납제 118

금속화폐 112, 203

금융 시스템 149, 200, 203~205, 208~ 212, 215, 218, 220, 226, 235

금융 중개 210~211

금융공황 19, 34~36, 149, 220~221

기계직기(機械織機) 158

기관 216

기관은행 201, 216, 220~223, 225

기관투자자 217

기근변수 139

기나이(畿內) 118, 120

기술진보 62~65, 70~71, 79, 150, 213

기술진보율 50, 64~65, 68, 70

기술혁신 13, 95

기시와진덴 117

기업 이사회 230

기업금융 90, 226

기업통치 201, 218, 233

기회비용 129~130

긴미스지(吟味筋) 132

ㄴ

나가사키(長崎) 38

나카마고토(仲間事) 133

나핸트 은행 215

남북전쟁 174, 177~178, 226

남송 117

남해 버블 206~207

남해 회사 206

내생성 83, 101, 104

내쉬균형(Nash Equilibrium) 45, 47, 106

네덜란드 무역 38

네트워크 외부성 19, 44~45, 47

노동력 57, 60~64, 89, 178, 183, 195~196, 198

　노동력의 효율성 63

노동분배율 150

노동생산성 58~59

노동자 27, 65, 77~78, 104, 145, 148, 155~160, 177, 181, 187, 198

　가내 노동자 197~198

　농업 노동자 178, 187

　임금 노동자 149

　자유로운 노동자 27, 178

노동증가의 기여 150

노무라 상점 224

노스, 더글라스(North, D.) 13, 72, 95~98, 100, 104~105, 112, 126, 131

노예농장 174, 180, 183

노예제 14, 174~175, 177~178, 180, 184~186, 189, 199

노예제의 인센티브 184

노예투자 179

노예해방 177

농공 간 분업 121

농노 113

농업 노동자 178, 187

농업 생산조직 187

농업의 생산성 180

농장 경영자 187, 189~190

농장주 178, 189

뉴잉글랜드 200, 215~217, 223, 226

ㄷ

다각적 징벌전략 108, 126, 128~130, 136~137, 140~141

다누마 오키쓰구(田沼意次) 135

다누마시대(田沼時代) 135

다이묘(大名) 119~121, 135

다이아몬드 매치 164

다이와(大倭) 117

다이칸(代官) 118

대규모 시장 ☞ 대시 109, 115~116

대금업자 203

대량생산 161, 163, 170

　대량생산체제 170

대량유통 142, 161, 163

대런 아세모글루(Acemoglu, D.) 101

대리인(에이전트) 126~129, 141, 186, 225

대분기 152, 154

대시(大市, 대규모 시장) 109, 115~116

대차대조표   217~218
대투자 은행   229
더미변수   139, 193, 231
데이리스지(出入筋)   132~133
데이비드, 폴(David, P.)   42
도구변수   83~84, 87, 101~102
도시국가   111~112
도요토미 히데요시   135
도이마루(問丸)   119
도지마(堂島) 쌀시장   120
도쿠가와 이에야스   120
독일형 산업은행   90
독점기능   135
독점도   231
돈야(問屋)   119, 136
돈야나카마(問屋仲間)   136
    소금 돈야나카마   136
「동아시아의 기적」   24~25
『동아시아의 기적을 재고한다』   25
동인도 회사   205~206
동전   117
듀크 아메리칸 다바코   164
디롱, 브래드포드(DeLong, J. B.)   200,
    229, 231, 233
디어, 존(Deere, John)   164

ㄹ
라니   115
라모루, 나오미(Lamoreaux, N.)   169,
    215, 218~219, 223
라이프치히   115
라쿠이치라쿠자(樂市樂座)정책   135

라포르타, 라파엘(LaPorta, R.)   219~
    220, 235
라프, 다니엘(Raff. D. M. G.)   169
란데스, 데이비드(Landes, D. S.)   158~
    159, 195~196
랏쇼 닐센, 아그네테(Raaschou Neilsen,
    A.)   197~198
래그(lag)   228
래디컬 이코노믹스   155
러다이트(Luddite movement)   156
런던 주식거래소   207
레밍턴 타이프라이터   164
로그함수의 미분법칙   60
로마법   112
로마의 평화   112
로마제국   108, 111~112, 125, 177,
    185, 204
로머, 데이비드(Romer, D.)   65
로버스트   213
로브, 쿤   229
로우, 존   207
로쥬(老中)   135, 139
루터, 마르틴(Luther, Martin)   84, 86
류큐(琉球) 무역   38
리바인, 로스(Levine, R.)   209~210,
    212
리스크   189~192, 216, 218~219, 224
    리스크 셰어링 가설   174, 192, 194
리카도, 데이비드(Ricardo, D)   38, 57

ㅁ
마그리비   14, 126~127, 131, 136

마그린, 스티븐(Marglin, S.) 142, 155~
  160, 167
마르크스, 카를   13, 26~27, 57, 72,
  75~76, 78~79, 81, 88~89, 91, 95,
  105, 148, 155, 159
  마르크스의 이론   13, 78, 104
마치부교(町奉行) 132
막번체제 119~120, 132
막부(幕府) 38, 120~121, 132~133,
  135, 137
매뉴팩처 159
매디슨, 앙구스(Maddison, A.) 53, 55
매사추세츠 은행 215, 217
맥코믹 하베스트 164
맨큐, 그레고리(Mankiw, N. G.) 65~
  66, 68
멀티태스킹 174, 186, 189~191
  멀티태스킹 가설 174, 192, 194
메리 99
메런스 147
메이어, 존(Meyer, J. R.) 179
메이지 시대 178
면공업 151, 178
면화 재배 178
명목 GDP 23
명예혁명 98~100
모건, J. P. 200, 229~232
모럴 해저드(moral hazard) 192, 200,
  233
  모럴 해저드 가설 174, 192, 194
  모럴 해저드의 문제 214
모슬린 147

모키어, 조엘(Mokyr, J.) 154
모티베이션 166
목양업(牧羊業) 78
묘가킨(冥加金) 135
무디, 존(John Moody) 230
무디스 인베스터즈 서비스 230
무사 120, 134
무역수지 39
물물교환 203
물적자본 66, 68~69, 95
뮬 147
미국 연방준비제도 33
『미국 화폐사: 1867~1960』 30
미시경제학 45
미시시피 버블 207
미시시피 회사 207
미야모토 마타지 134
밀그롬, 폴(Paul Milgrom) 141, 186,
  199
밀라노 115

ㅂ

바르-쉬르-오브 115
발전단계 27, 75, 88
발트 해 115
발행인 204
방적공정(紡績工程) 148
방적기 147
배당할인 모델 226
버블 205~207
  남해 버블 206~207
  미시시피 버블 207

버블 조례 206~207
법인은행 149
베니스 114
　베니스의 상인 114
베로나 115
베른호펜, 다니엘(Bernhofen, D.) 39
베버, 막스(Weber, Max) 72, 80~82,
　　88, 91, 95~96
　베버 가설 82, 87
베커(Becker, S. O.) 82, 84, 87
병농분리 120
보수 46~48
　보수의 인센티브 184
보스 155, 157~158
보완성 19, 44~45
『보이는 손』 166, 169
보이지 않는 손 142, 167
보티치니, 마리스텔라(Botticini, M.)
　　190~191
보험회사 217
복수균형 48
복수의 라인 165~166
봉건적 75
　봉건적 생산양식(봉건제) 76
봉건제 사회 77, 79
뵈스만(Woessmann, L.) 82, 84, 87
부교조(奉行所) 132
부채 217
브라운, 존(Brown, J.) 39
블로크, 마르크(Bloch, M.) 40, 42, 45
비교역사제도분석 14, 104, 106, 125
비교우위 19, 37~38, 111

비교우위의 원리 38~39
비교제도분석 106
비대칭정보 가설 35~36
비와 호(琵琶湖) 118
비잔틴 제국 114
비텐베르크 84
빈 115

ㅅ

사법권 132
사법제도 132, 140
사쓰마한(薩摩藩) 38
사와다 미쓰루 221
사적인 제도 126, 132, 134
사카모토(坂本) 118
사카이(堺) 118
사회경제조직 155~157
산디미니야노 191, 194
산업 간 상호보완성 89
산업금융 90, 207
산업기업 90, 219~220, 222, 228
산업정책 25
산업혁명 90, 142, 145~147, 150~152,
　　154, 156, 161, 173~174, 178, 195,
　　206
『산업혁명』 145, 196
산출 57
산킨코타이(參勤交代) 제도 121
삼권분립 98, 132
상관계수 138
상농분리 120
상대가격 38

상대제령　109, 133

상부구조　76

상업루트　116

상업의 부활　108~109, 114, 125, 131,
　204

상인길드　134, 136~137, 140

생산관계　75

생산량　57~58, 60, 62, 75, 187, 189~
　190

　1인당 생산량　58

생산력의 상승　75

생산수단　77

생산양식　27, 75~76, 78~79

　봉건적 생산양식(봉건제)　76

생산연령인구　68

생산요소가격　150

생산요소투입　57

생산의 관리권　157

생산조직의 변화　158, 195

생산함수　57~59, 63, 66~67, 150

상파뉴　115

『서구세계의 발흥: 새로운 경제사』　95

『서유럽 공업사』　195

서유럽 분지　55~56

서인도 회사　205

선대제　157, 160, 174~175, 194~199

　선대제 고유의 마찰　196

선대주　157, 195~196, 198

선도 분야　151

성과급제　148, 187

성장회계　150

세계은행　23~25, 53

세키쇼(關所)　119

소금 돈야나카마(問屋仲間)　136

소득격차　55~56

소액 주주　220, 225

소유권의 보호　96, 98

소작계약 선택　174~175, 189~193

　정액소작계약　174~175, 189~190,
　193

　정율소작계약　174, 190, 193

소작료　187, 190

소작인　187, 190~194

소지인　204

솔로, 로버트(Solow, R. M)　50, 57

　솔로 모형의 기본방정식　61, 63

　솔로의 성장모형　57

쇄국　38

쇼칸(莊官)　118

숄즈, 크리스토퍼　44

수공업자　134, 195

수입재　39

수직공(手織工)　147, 158

수직통합　168, 170

수출재　39

슈몬아라타메초(宗門改帳)　122~123

슈바르츠, 안나(Schwartz, A.)　30, 33,
　49

스노든, 케네스(Snowden, K. A.)　226~
　229, 234

스미스, 애덤(Smith, A.)　57, 155

스웨덴 은행　205

스위프트　165

스티글리츠, 조지프(Stiglitz, J.)　25

시민의 소유권 96
시장 메커니즘 25, 79
시장의 실패 25
시장의 효율성 200, 226, 229
시장형 시스템 205
신고전파 경제이론 25
신고전파 성장이론 51, 57, 79
신용 191, 204
　신용유지기능 135
실시비용 96
실질화폐잔고 123, 139
실험 37
　실험실로서의 경제사 33
싱어 164
쓰시마한(對馬藩) 38

ㅇ

아날학파 40
아마가사키(尼崎) 118
아모어 165
아시아 금융위기 219
아시아적 75
아오키 마사히코 106
안정 상태 61~66, 68, 71
암스테르담 거래소 205
암스테르담 은행 205
애슈턴, 토머스(Ashton, T. S.) 145,
　147~149, 196
앨런, 로버트(Allen, R. C.) 154
앨런, 프랭클린(Allen, F.) 203, 205,
　235
앵거먼, 스탠리(Engerman, S. L.) 180~

181, 183
야마타이코쿠(邪馬台國) 117
약속어음 204
양모(羊毛) 공업 77, 79, 115
어음 204~205
　어음결제 204
　어음교환소 205
　어음 할인 204
에도(江戶)시대 38, 108, 119~121,
　134
에드워즈, 리처드(Edwards, R.) 169
에커버그, 다니엘(Ackerberg, A. D.)
　174, 190~191
역사비교제도분석 137
역사인구학 123
역사적 교훈 22~23, 26
『역사적 시점에서 바라본 경제적 후진성』
　88
역사학파 40, 75
역선택의 문제 213
역직기(力織機) 148
연공 118, 119, 120
　연공미 120
『영국 산업혁명사』 145
영주 77, 96, 113, 119, 125
예금보험제도 34
예금인출 리스크 가설 34, 36~37
예금통화 203
예금환불보증 34
오렌지공 윌리엄 99
오사카 118, 120~121, 132, 136~138,
　140

오쓰(大津) 118

오미(近江) 138

오차항 ☞ 화이트 노이즈 68, 83~84, 102, 227

오카와 가즈시(大川一司) 54

오카자키 데쓰지(岡崎哲二) 14, 141, 221

오티스 엘리베이터 164

오현제시대(五賢帝時代) 112

옥타비아누스 112

올린(Ohlin, B. G.) 38

와도카이친 117

와도카이호 117

외부성 45

외생적 60, 79

요리아이(寄合) 134

요코야마 가즈키 221

욕망의 상호적 일치 203

운전자금 149

운조킨(運上金) 135

원 117

원격지 무역 126, 131

웨그 필드 은행 216

웨스턴 일렉트릭 164

웨스팅 164

웨인가스트, 베리(Weingast, B.) 98, 100, 141

웨일, 데이비드(Weil, D. N.) 65

위계적 질서 157

위계제적 구조(hierarchy) 156

윌리엄 4세 146

윌리엄슨, 올리버(Williamson, O. E.) 96, 160, 173, 196

유물사관 76

육상루트 115

은 광산 185

은행

기관은행 201, 216, 220~223, 225

나핸트 은행 215

대투자 은행 229

독일형 산업은행 90

매사추세츠 은행 215, 217

법인은행 149

세계은행 23~25, 53

스웨덴 은행 205

암스테르담 은행 205

웨그 필드 은행 216

은행 시스템 90, 209

은행의 부채구조 223

은행의 이익률(ROE) 221

은행형 시스템 205

잉글랜드 은행 206

중앙은행 30, 205

포켓 은행 215, 217

이사회(取締役會) 200, 216~217, 230~232

이스트맨 코닥 164

이슬람교도의 침입 114

이익주가비율 231~232

이직률 28~29, 31~32, 41, 43, 58, 63~64

인과성(因果性) 테스트 33

인구성장률 50, 60, 65, 68~69, 71, 123

인센티브   46, 48, 104~105, 130, 171~
    172, 174, 184, 186, 189, 192, 199,
    213, 230
    고통의 인센티브   184~186
    노예제의 인센티브   184
    보수의 인센티브   184
    증산 인센티브   189
인적자본   24, 65~66, 68~69
인클로저   78~79, 146
인터내셔널 하베스트   233
임금 노동자   149
임금계약   187, 189~190
임원겸직 관계   221~222
잉글랜드 은행   206

ㅈ

자급자족 사회   114
자기구속적   14, 106
자기실현적 예상   34
자기자본비율   218, 223~225
자기자본이익률   233
자본   27, 57, 61, 66, 71, 73, 77, 89~
    90, 149~150, 230
    자본 - 노동의 비율   58
    자본금   217, 219
    자본분배율   150
    자본스톡   57, 60, 211
    자본의 본원적 축적   73, 77, 91
    자본증가의 기여   150
    자본집약도   90
    자본축적   13, 95, 213
『자본론』   26, 75, 77, 79, 91, 155

자본주의   27, 75~78, 80~82, 88
    자본주의 사회   79, 88
『자본주의의 경제제도』   160
자산특수성   167~168, 171
자연실험   19, 37, 39, 137~138
자영농민   78
자영업자   156
자유농장   180, 183
자유도 수정을 거친 결정계수   68
자유로운 노동자   27, 178
자작농   178, 187
잔차항   50~51, 68, 70
장원   113, 118~119
    장원영주   118
재생산   57, 77
저축   60
적대적 매수   205
전국시대   119
전략   45, 47, 128
    전략형 게임   46
정보공시   229, 234
정보 네트워크   131
정보의 비대칭성   35, 36, 200, 213~
    214, 219, 233
정액소작계약   174~175, 189~190, 193
정액임금   187
정율소작계약   174, 190, 193
정치사   23
제노아   115
제니   147
제도변수   209
제도적 기초   131, 229

제르보스, 사라(Zervos, S.) 210, 212

제약 106

제임스 2세 99

조면기 178

조선 무역 38

조정기능 135

조지 3세 146

조카마치(城下町) 119~120, 135

종교변수 209

종교사회학 80

『종교사회학논집』 80, 82, 239

종교혁명 81

종신고용 14, 28, 237

『주식연감』 224

주식투자의 초과수익률 227

주식회사 206~207

　주식회사제도 206

주인 127, 186

　주인 - 대리인 관계 127

주주총회 217

중등교육의 취학률 209~211

중매(仲買) 나카마 136

중세 유럽 96, 107~108, 113, 141

중앙은행 30, 205

증산 인센티브 189

지대 187, 190

지배적 주주 200, 219~220, 223

지배적 지주 225

지샤부교(寺社奉行) 132

지주 187, 189~192, 194, 204

　지배적 지주 225

　지주제 174~175, 187, 194

지중해 115, 125~127, 131~132, 134, 186, 203~204

　지중해 세계 108, 111~112, 125~127, 131~132, 134, 203

지폐 203

지휘명령계통 162, 165

직계(Line) 162

　직계참모조직(Line and Staff 조직) 162, 165

직권심리주의 133

직기(織機) 148

직포공정(織布工程) 148

ㅊ

착취 155, 159~160

참모(Staff) 163

채무 불이행 219

채찍질 183

챈들러, 알프레드(Chandler, A. D.) 142, 160~161, 164, 166~167, 169, 173

　챈들러의 사관 169

천직 이념 81

철도기업 162

청교도 혁명 98

초닌 120, 134

총요소생산성(TFP) 150, 180, 211, 212

최고 경영간부 166

　최고 경영간부 조직 166

최소자승법 ☞ OLS 83~84, 87, 103

　2단계 최소자승법 ☞ 2SLS 84, 103

최장기의 경제성장   54
추정치   68

ㅋ

카, E. H.   23, 40
칸   40
칼뱅파 프로테스탄트,   81
캘로미리스, 찰스(Calomiris, C.),   34, 36
캠벨   164
커미트(commit, 약속하기),   98, 127
커틴, 필립(Curtin, P. D.),   103
컨트롤 샘플   231
케인지언   33, 49
코디네이션   166, 174
코스, 로널드(Coase, R. H.)   96, 159~160
코펜하겐   198
콘래드, 알프레드(Conrad, A. H.)   179
콩글로메리트형 기업   170
쿠즈네츠, 사이먼(Kuznets, S. S.)   50, 53
퀘이커 오츠   164
크래프츠, 니콜라스(Crafts, N.)   150~151, 153, 173
크레디 모빌리에   207
크레머, 마이클(Kremer, M.)   154
크로스섹션 데이터   66, 68
크로스컨트리 데이터   101
크로스컨트리 회귀   209~210
클락, 그레고리(Clark, G.)   154
킹, 로버트(King, R. G)   209~210

ㅌ

타자기의 역사   44
탐색비용   96
테민, 피터(Temin, Peter)   49, 169
토머스, 로버트(Thomas, R. P.)   92, 95~97, 107
토빗   223
토인비, 아널드   22~23, 40, 145
톱 매니지먼트   166
통제변수   231
통치 메커니즘   205
통합기업   143, 170~172
통화주의   29~30
투자(I)   60~61
투자수익률   166
트루아   115

ㅍ

파레토 열위   48
파레토 우위   48
퍼스트 내셔널 뱅크   229
페놀티, 스테파노(Fenoaltea, S.)   184~185
페니키아인   111
페시아   191
펜실베이니아 철도   162
평판   230
    평판 메커니즘   234
폐쇄적 자급경제   ☞Autarkie   38
포겔, 로버트(Fogel, R.)   12~13, 180~181, 183
포메란츠, 케네스(Pomerantz, K.)   152

포쳇 은행 215, 217
표준오차 68
프랑스 제2제정 207
프랑스 혁명 207
프랑크푸르트 116
프로뱅 115
프로빗(probit) 193
프로테스탄트 80, 99
프로테스탄티즘 83, 85, 101
　　프로테스탄티즘의 경제윤리 88, 95
『프로테스탄티즘 윤리와 자본주의 정신』
　　80, 91
프록터 앤드 갬블 164
프리드먼, 밀턴(Friedman, M.) 29~30,
　　33, 49
플랑드르 114~115
플레이어 45~48, 106
피렌, 앙리(Pirenne, Henri) 107, 113~
　　114, 125
피렌체 191, 194
피사 115
피설명변수 68, 139, 193, 209, 211~
　　212, 221~222, 231, 232

ㅎ

하부구조 76
하인츠 164
한나, 레슬리(Hannah, L.) 169
할리, 닉(Harley, K.) 151
할인율 227
함부르크 116

합리적 기대 227
합성함수의 미분법칙 60
해상로 113
해상상업 114~115
해상항로 115
행동양식 26, 127~128
행정권 132
헥셔(Hecksher, E. F.) 38
현업(現業) 단위 162
'현재'의 상대화 26
혈연적 네트워크 215, 217
혼쿠지(本公事) 133
홀름스트롬, 벤트(Holmstrom, B.) 186,
　　199
화이트 노이즈 ☞ 오차항 68, 83~84,
　　102, 227
화폐사 29, 33
화폐잔고 30, 33
환전상 203
회귀식 68
　　회귀식의 적합도 69
효고(兵庫) 118
효율단위 63
효율적 시장 가설 201, 228
효율적인 경제조직 95
후진국의 공업화 88, 90, 148
후혼센(富本錢) 117
휘트니, 엘리 178
히가키카이센(菱垣廻船) 137
히가키카이센즈미 돈야나카마(菱垣廻船
　　積問屋仲間) 137

지은이

오 카 자 키 데 쓰 지 (岡崎哲二)

도쿄대학 경제학부 졸업
도쿄대학 경제학연구과 석사 및 박사(경제학 박사)
(現) 도쿄대학 경제학부 및 동대학원 경제학연구과 교수
International Economic History Association (IEHA) 회장(2015년~현재)

최근 업적
- " Impact of Natural Disasters on Industrial Agglomeration: The Case of the Great Kanto Earthquake in 1923," *Explorations in Economic History*, 60, 2016.
- "Acquisitions, Productivity, and Profitability: Evidence form the Japanese Cotton Spinning Industry," *The American Economic Review*, 105(7), 2015.
- "Sources of productivity improvement in industrial clusters: The case of the prewar Japanese silk-reeling industry," *Regional Science and Urban Economics*, 46, 2014.

옮긴이

이 창 민

고려대학교 경제학과 졸업
도쿄대학 경제학연구과 석사 및 박사(경제학 박사)
(現) 한국외국어대학교 융합일본지역학부 및 국제지역대학원 일본학과 교수

최근 업적
- " The Role of the Private Sector in Japan's Recovery from the Great Depression," *International Area Studies Review*, 18(4), 2015.
- "International Economic Policy Uncertainty and Stock Prices: Wavelet Approach," *Economics Letters*, 134, 2015.
- "Virtual or Vertical? Achieving Integrated Global Chains: Comparison and Analysis of Virtual Integration and Vertical Integration in Japanese and Korean Steel Industry," *International Journal of Productivity and Quality Management,* 15(2), 2015.

한울아카데미 1954

개정판 ㅣ 제도와 조직의 경제사
최신이론, 새로운 개념

지은이 ㅣ 오카자키 데쓰지
옮긴이 ㅣ 이창민
펴낸이 ㅣ 김종수
펴낸곳 ㅣ 한울엠플러스(주)

초판 1쇄 발행 ㅣ 2017년 2월 25일
초판 2쇄 발행 ㅣ 2023년 3월 30일

주소 ㅣ 10881 경기도 파주시 광인사길 153 한울시소빌딩 3층
전화 ㅣ 031-955-0655
팩스 ㅣ 031-955-0656
홈페이지 ㅣ www.hanulmplus.kr
등록번호 ㅣ 제406-2015-000143호

Printed in Korea.
ISBN 978-89-460-5954-2 93320 (양장)
      978-89-460-6283-2 93320 (무선)

* 책값은 겉표지에 표시되어 있습니다.
* 무선 제본 책을 교재로 사용하시려면 본사로 연락해 주십시오.

심리학을 만든 사람들

탄생부터 발전까지 '인물'로 다시 쓴 심리학사

당신이 알고 있는 심리학, 진짜 심리학 맞습니까
인물로 쉽게 풀어 쓴 '심리학 역사기행'

우리가 관심은 있으나 그 역사는 자세히 몰랐던 심리학에 대해 비판적 관점에서 재조명한 심리학 역사서이다. 이 책은 다음과 같은 의문에서 시작한다. "우리가 친근하게 느끼는 심리학, 복잡한 인간관계나 연애심리를 재미나게 풀어줄 것 같은 심리학이 정말 인간에게 선하기만 한 학문일까?"

사회 역사적 시각에서 심리학 서적을 다수 집필해온 심리학자 김태형은 이제 심리학에 대한 관심을 좀 더 깊은 데까지 끌고 갈 필요가 있다고 말하며, 심리학이 진정 '인간을 위한 학문'이 되려면 심리학의 어두운 역사도 반드시 알아야 한다고 말한다.

이 책은 심리학에 대한 상세하고 균형 잡힌 설명으로 심리학 역사를 깨우쳐주는 지식교양서로서, 비인간적인 모습을 감추려고 하는 심리학계에 일침을 가하는 책이다. 프로이트, 분트, 에리히 프롬 등 중요 인물에 초점을 둔 서술방식으로 역사서 특유의 무거움이나 어려움을 타파했다. 심리학을 더욱 깊이 알고자 하는 독자들에게 최고의 책이 될 것이다.

지은이
김태형

2016년 8월 17일 발행
국판
296면

위기는 다시 온다 개정판

금융위기 이후 선진국은 왜 금융 규제를 강화하는가

빚을 더 늘려도, 규제를 더 풀어도 괜찮다는 믿음은 괜찮은가
세계금융위기 이후 금융 규제의 세계적 추세와 한국의 현실

세계은행과 국제통화기금 이코노미스트로 거시경제와 국제
금융, 금융개혁 과제를 연구하고, 참여정부 시절 대통령 경
제보좌관으로 한국의 경제정책 전반을 다뤘던 조윤제 교수
의 새 책이다.

지은이는 위기와 규제가 동반될 수밖에 없는 금융의 본질적
속성, 근본적인 문제를 해결하지 못한 채 불확실성의 늪에
빠져 있는 세계경제 상황, 민간부채 규모가 심각한 수준에
이른 한국의 현실을 지적하면서, 2008년 금융위기 이후, 그
리고 언젠가 다시 올 위기에도 한국 경제가 지속적이고 안정
적인 성장을 이루려면 국내외 금융 환경에 대한 올바른 이해
를 바탕으로 효과적인 규제·감독 체계를 시급히 강구해야
한다고 강조한다.

이러한 논의를 위해 이 책에서는 먼저 금융과 금융위기, 금
융 규제·감독의 역사를 간단히 정리하고, 2008년 세계금융
위기를 전후로 금융을 바라보는 시각과 국제금융 환경이 어
떻게 변화했는지 알아본다. 이와 더불어 미국과 영국, G20
등의 금융 규제·감독 체계 개편 과정과 그 의미를 분석하며,
한국 경제와 금융 부문이 풀어야 할 과제와 나아가야 할 방
향을 제시한다.

지은이
조윤제

2016년 5월 10일 발행
신국판
232면

국제정치경제의 이해 개정판
역사, 이념 그리고 이슈

국제정치경제 이론에 관한 체계적인 개론서
2008년 금융위기, 2016년 브렉시트까지 구체적 이슈 분석

이 책은 역사와 이론부터 살펴본다. 국제정치경제란 무엇을
의미하며 어떻게 시작되었는지 시대적 배경을 제시하여 설
명한다. 그리고 현대적 의미의 국제정치학이 발전하기 시작
한 1940년대경부터 시대별로 국제정치경제가 어떤 양상으
로 변화·발전했는지 분석한다. 이론적 측면에서는 중상주의
와 자유주의, 마르크스주의에 대해 각각 알아보고 각 이론에
대한 비판적 시각까지 소개하며 세 주장을 비교한다.

브렉시트는 영국과 EU에 어떤 후폭풍을 가져올 것인가. 브렉시
트가 결정된 직후 유럽 내 다른 국가의 증시가 하락하고, 환율의
변동폭도 커졌으며 국제통화기금 IMF는 세계 경제성장률을 하
향 조정하기도 했다. 한 국가의 정치적·경제적 사안이 다른 국
가의 정치와 경제에 상당한 영향을 미치는 것이다.

이와 같이 국제적인 이슈의 영향을 파악하는 것은 국제정치경
제를 이해하는 데 필요한 과정이다. 국제통상, 국제통화, 국제
금융, 해외투자와 다국적 기업, 발전, 지역주의, 세계화에 등을
구체적 예시를 통해 설명하고 국제적 사안에 대한 질문을 던지
고 답을 고민하는 과정에서 독자는 외신보도 하나에서 전체적
인 흐름과 파급 효과를 예측할 능력을 키우게 될 것이다.

지은이
김석우

2016년 8월 16일 발행
신국판
296면